LET'S COOK
VAMOS A COCINAR
THIRD EDITION

ACKNOWLEDGEMENTS
RECONOCIMIENTOS

Associate WIC Director / Subdirectora de WIC: Joy Ahrens, MPH, RD, CLE
Senior Editor, Food Stylist / Redactora principal, Estilista de alimentos: Katie Klarin Romey, MS, RD, CLE
Photography / Fotografía: Jesse Ramirez
Spanish Translation / Traducción al español: Inline Translation Services, Inc.
Production Team / Equipo de Producción: Cathy Fusano
Connie Reyes
Daniella Lavi-Dray

Contributors / Colaboradoras:

Zita Flores, RD, CLE : Bulgur Salad with Roasted Pepper / Ensalada de trigo bulgur con pimientos asados, pg.68, Barley Salad with Parsley and Walnuts / Ensalada de cebada con perejil y nueces de Castilla, pg.72

Michelle Fox, RN: Spinach Medley / Surtido de espinacas, pg.17

Nuzhat Karim, RD: Tofu Kabobs / Brochetas de tofu, pg.88

Sherry Norwood, RD: Mango Salsa / Salsa de mango, pg.10

A warm thank you to all of the WIC participants who participated in the recipe contest and taste testing. Your recipes and suggestions led to the successful development of this cookbook!

Thank you to Kim Wyard, Chief Executive Officer of Northeast Valley Health Corporation, for your continued support of the WIC Program.

Un sincero agradecimiento a todos los participantes de WIC que formaron parte del concurso de recetas y las pruebas de sabor. Sus recetas y sugerencias lograron la elaboración exitosa de este recetario.

Gracias a Kim Wyard, Presidenta Ejecutiva de Northeast Valley Health Corporation, por su apoyo continuo al Programa WIC.

FOREWORD

It is with great pleasure that the staff of Northeast Valley Health Corporation WIC Program presents the 3rd edition cookbook, *Let's Cook, Vamos a Cocinar* to the participants we serve and to the general public. Whether you are a novice cook or a professional chef, you will find delicious and easy to prepare recipes for fresh vegetables and fruits, whole grain products, soy products and lowfat foods.

This cookbook incorporates the changes made to the Supplemental Nutrition Program for Women Infants and Children (WIC) food package prescriptions which premiered in California on October 1, 2009. These WIC foods help support a healthy balanced diet and offer a cultural variety of food choices. Along with these tasty recipes are facts about the foods, nutritional analyses, and beautiful pictures to appeal to your appetite. Enjoy!

PRÓLOGO

El personal del Programa WIC de Northeast Valley Health Corporation tiene el placer de presentar la 3a. edición del recetario *Let's Cook, Vamos a Cocinar*, a los participantes de nuestro programa y al público en general. Tanto si es un cocinero novato como un chef profesional, en este recetario descubrirá recetas deliciosas y fáciles de preparar con verduras y frutas frescas, productos de grano integral, productos de soya y alimentos bajos en grasa.

Este recetario incorpora los cambios efectuados en las recomendaciones de los paquetes de alimentos del Programa de Nutrición Suplementaria para Mujeres, Bebés y Niños (WIC) que se estrenaron en California el 1° de octubre de 2009. Estos alimentos WIC ayudan a apoyar una dieta saludable y balanceada, y ofrecen una selección de alimentos de diversas culturas. Junto con estas deliciosas recetas, hay datos sobre los alimentos, análisis nutricionales y bellas fotografías para tentar su apetito. ¡Buen provecho!

Gayle Schachne, MPH, RD, CLE
Director, WIC Program / Directora del Programa WIC
Northeast Valley Health Corporation

CONTENTS

CONTENIDO

VEGETABLES & FRUIT

Eating a variety of colorful vegetables and fruits can keep your body healthy and strong. Phytochemicals, nutrients found in vegetables and fruits, decreases the risk of heart disease and certain cancers. Because many of the phytochemicals also provide the bright colors of vegetables and fruits, lots of color means lots of nutrition! So make sure your diet includes a colorful variety of vegetables and fruits in it every day!

Red – beets, tomatoes, cherries, strawberries, red grapefruit, and watermelon
Yellow/Orange - cantaloupe, carrots, mangos, peaches, oranges, and sweet potatoes
Green – kiwi, limes, avocados, asparagus, leafy greens, snow peas, and broccoli
Blue/Purple – blueberries, plums, raisins, eggplant, and purple cabbage
White – bananas, cauliflower, mushrooms, onions, and brown pears

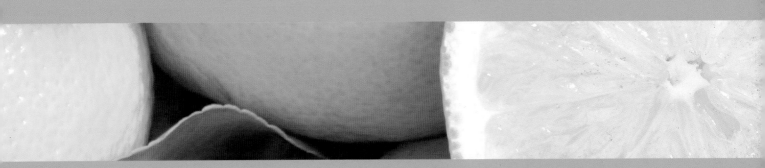

VERDURAS Y FRUTAS

Comer una variedad de frutas y verduras de colores, puede ayudarle a su organismo a mantenerse sano y fuerte. Los fotoquímicos, los nutrientes que se encuentran en las verduras y las frutas, reducen el riesgo de padecer enfermedades cardíacas y ciertos cánceres. Debido a que muchos de los fotoquímicos también proporcionan los colores brillantes a las verduras y las frutas, el hecho que tengan mucho color quiere decir que tienen mucho valor nutritivo. Así que asegúrese de que su dieta incluya una variedad muy colorida de verduras y frutas todos los días.

Rojo: betabeles, tomates, cerezas, fresas, toronjas rojas y sandías
Amarillo o anaranjado: melones, zanahorias, mangos, duraznos, naranjas y camotes
Verde: kiwis, limas, aguacates, espárragos, hojas verdes, chícharos mollares y brócoli
Azul o púrpura: arándanos, ciruelas, pasas, berenjenas y repollo morado
Blanco: plátanos, coliflor, champiñones, cebollas y peras cafés

EGGPLANT LASAGNA

cooking spray
1 tablespoon olive oil
1 medium onion, sliced
1 clove garlic, minced
4 large tomatoes, thinly sliced
1 ½ teaspoon dried basil
1 ½ teaspoon dried oregano
1 ½ teaspoon salt
1 medium eggplant, thinly sliced
8 ounces mozzarella cheese, shredded

Preheat oven to 425°F. Coat baking dish with cooking spray and set aside. In a skillet over medium heat, sauté onions and garlic in olive oil until tender. Add tomatoes, basil, oregano, and salt. Sauté until tender. Spread 1/4 of tomato mixture into greased baking dish. Place one layer of eggplant over tomato mixture. Sprinkle with 1/4 of cheese. Continue to layer tomato mixture, eggplant, and cheese. Cover and bake for 25 minutes or until eggplant is tender. Uncover and bake until cheese is light brown.

NUTRITIONAL INFORMATION (per serving)
CALORIES 120; FAT 7g; PROTEIN 8g; CARB. 9g; FIBER 1.3g; CALCIUM 205mg; IRON 0mg; VITAMIN A (RE) 127mcg; VITAMIN C 12mg; FOLATE 29mcg

NUTRITION TIP
Remove the bitterness from eggplant by slicing and salting it, letting the juices drain for 20 minutes in a colander. Rinse away the salt and continue preparing the vegetable as the recipe instructs.

CONSEJO DE NUTRICIÓN
Para quitarle lo amargo a la berenjena puede cortarla en rebanadas, añadirle sal y dejar que se escurra el jugo durante 20 minutos en un colador. Enjuague la sal y continúe preparando la verdura de acuerdo con la receta.

LASAÑA DE BERENJENA

aceite vegetal en rociador
1 cucharada de aceite de oliva
1 cebolla mediana rebanada
1 diente de ajo picado
4 tomates grandes en rebanadas finas
1 ½ cucharaditas de albahaca deshidratada
1 ½ cucharaditas de orégano deshidratado
1 ½ cucharaditas de sal
1 berenjena mediana en rebanadas finas
8 onzas de queso mozzarella rallado

Precaliente el horno a 425°F. Rocíe un molde de hornear con aceite vegetal y apártelo. En una sartén a fuego medio, saltee la cebolla y el ajo en el aceite de oliva hasta que estén suaves. Añada los tomates, la albahaca, el orégano y la sal. Saltee hasta que estén suaves. Esparza un cuarto de la mezcla de tomates en el molde de hornear engrasado. Coloque una capa de berenjena sobre la mezcla de tomate. Espolvoree con un cuarto del queso. Continúe añadiendo capas de la mezcla de tomates, berenjenas y queso. Cubra y hornee durante 25 minutos o hasta que las berenjenas estén suaves. Destápelo y hornee hasta que el queso esté ligeramente dorado.

INFORMACIÓN DE NUTRICIÓN (en cada porción)
CALORÍAS 120; GRASA 7g; PROTEÍNA 8g; CARB. 9g; FIBRA 1.3g; CALCIO 205mg; HIERRO 0mg; VITAMINA A (RE) 127mcg; VITAMINA C 12mg; FOLATO 29mcg

BAKED SWEET POTATO FRIES

1   small sweet potato, cut into 3-inch x
    1-inch strips
1   teaspoon canola oil
    salt, pepper and paprika to taste

Preheat oven to 450°F. Coat a baking sheet with cooking spray and set aside. In a medium bowl, toss sweet potato strips with oil and seasonings. Place strips on baking sheet and bake for 30 minutes, turning halfway through.

NUTRITIONAL INFORMATION (per serving)
CALORIES 96; FAT 4.7g; PROTEIN 1.2g; CARB. 13g; FIBER 2g; CALCIUM 24mg; IRON 0mg; VITAMIN A (RE) 1159mcg; VITAMIN C 12mg; FOLATE 4mcg

CAMOTES AL HORNO TIPO PAPAS FRITAS

1   camote pequeño, cortado en tiras de
    3 pulg. x 1 pulg.
1   cucharadita de aceite de canola
    sal, pimienta y paprika al gusto

Precaliente el horno a 450°F. Rocíe una bandeja de hornear con aceite vegetal y apártela. En un tazón mediano, mezcle las tiras de camote con el aceite y los condimentos. Coloque las tiras en la bandeja y hornee durante 30 minutos, volteándolas a la mitad de ese tiempo.

INFORMACIÓN DE NUTRICIÓN (en cada porción)
CALORÍAS 96; GRASA 4.7g; PROTEÍNA 1.2g; CARB. 13g; FIBRA 2g; CALCIO 24mg; HIERRO 0mg; VITAMINA A (RE) 1159mcg; VITAMINA C 12mg; FOLATO 4mcg

NUTRITION TIP
Flavors that pair nicely with sweet potatoes include: orange, pineapple, apple, pecan, cinnamon, nutmeg, brown sugar, chile peppers, cilantro, lemon, lime, and curry.

CONSEJO DE NUTRICIÓN
Algunos de los sabores que van bien con el camote son los de naranja, piña, manzana, nueces, canela, nuez moscada, azúcar morena, chiles, cilantro, limón, lima y curry.

MANGO SALSA

1   large mango, diced
1   jalapeño, seeds removed, diced
1   clove garlic, minced
½   large red bell pepper, diced
½   large red onion, diced
½   lime, juiced
     salt to taste

Mix all ingredients together in a bowl. Toss well to blend and allow to chill before serving.

NUTRITIONAL INFORMATION (per serving)
CALORIES 53; FAT 0g; PROTEIN 0.5g; CARB. 13g; FIBER 1g; CALCIUM 7mg; IRON 0mg; VITAMIN A (RE) 167mcg; VITAMIN C 49mg; FOLATE 9mcg

SALSA DE MANGO

1   mango grande en cubitos
1   chile jalapeño, sin semillas y cortado en cubitos
1   diente de ajo picado
½   pimiento morrón rojo grande en cubitos
½   cebolla roja grande en cubitos
½   lima exprimida
     sal al gusto

Mezcle todos los ingredientes en un tazón. Revuelva bien y deje que se enfríe antes de servirla.

INFORMACIÓN DE NUTRICIÓN (en cada porción)
CALORÍAS 53; GRASA 0g; PROTEÍNA 0.5g; CARB. 13g; FIBRA 1g; CALCIO 7mg; HIERRO 0mg; VITAMINA A (RE) 167mcg; VITAMINA C 49mg; FOLATO 9mcg

NUTRITION TIP
To speed up the ripening of a mango, place in a sealed plastic bag with a ripe banana.

CONSEJO DE NUTRICIÓN
Para acelerar la maduración del mango, colóquelo en una bolsa de plástico sellado con un plátano maduro.

BEET SALAD

3	potatoes, boiled and chopped
2	beets, trimmed, cooked and chopped
1	(16-ounce) can kidney beans, drained and rinsed or 2 cups cooked kidney beans*
3	dill pickles, chopped
½	bunch parsley, chopped
½	bunch green onions, chopped
1	tablespoon olive oil
	juice of 1 lemon
	salt and pepper to taste

In a large bowl, combine potatoes, beets, kidney beans, pickles, parsley, and green onions. Toss with olive oil and lemon juice. Season with salt and pepper to taste. Allow to chill for one hour before serving.

* See page 76 for how to cook dry beans.

NUTRITIONAL INFORMATION (per serving)
CALORIES 266; FAT 4g; PROTEIN 11.4g; CARB. 48g; FIBER 11g; CALCIUM 79mg; IRON 3.6mg; VITAMIN A (RE) 68mcg; VITAMIN C 32mg; FOLATE 109mcg

NUTRITION TIP
To cook beets, submerge in boiling water until easily pierced with a fork, about 35-55 minutes. Allow to cool and gently rub off the skins.

CONSEJO DE NUTRICIÓN
Para cocinar los betabeles, sumérjalos en agua hirviendo hasta que estén suaves al picarlos con un tenedor, aproximadamente de 35 a 55 minutos. Deje que se enfríen y pélelos raspando ligeramente la cáscara.

ENSALADA DE BETABEL

3	papas hervidas y picadas
2	betabeles recortados, cocidos y picados
1	lata (16 onzas) de frijoles rojos, escurridos y enjuagados, o 2 tazas de frijoles rojos cocidos*
3	pepinos encurtidos picados
½	racimo de perejil picado
½	racimo de cebolletas picadas
1	cucharada de aceite de oliva
	jugo de 1 limón
	sal y pimienta al gusto

En un tazón grande, mezcle las papas, los betabeles, los frijoles rojos, los pepinos, el perejil y las cebolletas. Revuelva con el aceite de oliva y el jugo del limón. Condimente con sal y pimienta al gusto. Deje que se enfríe durante una hora antes de servirla.

* Vea la página 76 para saber cómo cocinar los frijoles secos.

INFORMACIÓN DE NUTRICIÓN (en cada porción)
CALORÍAS 266; GRASA 4g; PROTEÍNA 11.4g; CARB. 48g; FIBRA 11g; CALCIO 79mg; HIERRO 3.6mg; VITAMINA A (RE) 68mcg; VITAMINA C 32mg; FOLATO 109mcg

ROASTED CARROTS AND ASPARAGUS

1   pound baby carrots
1   bunch asparagus, trimmed, cut into
    1-inch pieces
1   tablespoon olive oil
1   tablespoon ground ginger
1   tablespoon sesame seeds
    salt to taste

Preheat oven to 475°F. Place carrots and asparagus in a large bowl. Toss with olive oil. Add ground ginger, sesame seeds and salt; mix well. Place vegetables on a baking sheet and roast in oven for 15 minutes or until vegetables are tender.

NUTRITIONAL INFORMATION (per serving)
CALORIES 69; FAT 3g; PROTEIN 2g; CARB. 9g; FIBER 4g;
CALCIUM 30mg; IRON 1mg; VITAMIN A (RE) 1325mcg;
VITAMIN C 7mg; FOLATE 11.4mcg

ZANAHORIAS Y ESPÁRRAGOS ASADOS

1   libra de zanahorias pequeñas
1   racimo de espárragos cortados en trozos
    de 1 pulgada
1   cucharada de aceite de oliva
1   cucharada de jengibre molido
1   cucharada de semillas de ajonjolí
    sal al gusto

Precaliente el horno a 475°F. Coloque las zanahorias y los espárragos en un tazón grande. Mezcle con el aceite de oliva. Añada el jengibre molido, las semillas de ajonjolí y la sal; mézclelos bien. Coloque las verduras en una bandeja de hornear y áselas en el horno durante 15 minutos o hasta que estén suaves.

INFORMACIÓN DE NUTRICIÓN (en cada porción)
CALORÍAS 69; GRASA 3g; PROTEÍNA 2g; CARB. 9g; FIBRA
4g; CALCIO 30mg; HIERRO 1mg; VITAMINA A (RE) 1325mcg;
VITAMINA C 7mg; FOLATO 11.4mcg

NUTRITION TIP
Asparagus is high in fiber, low in calories, and an excellent source of folic acid, which is an important vitamin for all women and growing children.

CONSEJO DE NUTRICIÓN
Los espárragos tienen un alto contenido de fibra, son bajos en calorías y son una fuente excelente de ácido fólico, el cual es una vitamina importante para todas las mujeres y los niños en crecimiento.

GREEN PASTA

½   pound whole wheat angel hair pasta
1   (6-ounce) bag fresh spinach
1   cup basil leaves, packed
3   cloves garlic, minced
1   tablespoon olive oil
½   cup lowfat milk
½   cup mozzarella cheese, shredded
      salt and pepper to taste

Cook pasta according to package directions. In a blender or food processor, chop spinach and basil. In a large saucepan, sauté garlic in olive oil. Add milk and spinach mixture to the saucepan. Bring to a boil and reduce heat to a simmer. Stir occasionally until sauce thickens slightly. Remove from heat. Add pasta, cheese, and season with salt and pepper. Serve immediately.

NUTRITIONAL INFORMATION (per serving)
CALORIES 297; FAT 8g; PROTEIN 15g; CARB. 47g; FIBER 9g; CALCIUM 223mg; IRON 4mg; VITAMIN A (RE) 497mcg; VITAMIN C 15mg; FOLATE 122mcg

PASTA VERDE

½   libra de pasta de trigo integral, capellini
1   bolsa (6 onzas) de espinacas frescas
1   taza de hojas de albahaca, compactadas
3   dientes de ajo picados
1   cucharada de aceite de oliva
½   taza de leche baja en grasa
½   taza de queso mozzarella rallado
      sal y pimienta al gusto

Cocine la pasta de acuerdo con las instrucciones del paquete. En una licuadora o un procesador de alimentos, pique la espinaca y la albahaca. En una caserola grande, saltee el ajo en aceite de oliva. Añada la leche y la mezcla de espinacas a la cacerola. Deje que comience a hervir y reduzca a fuego lento. Revuelva de vez en cuando hasta que la salsa se espese ligeramente. Retire del fuego. Añada la pasta, el queso y condimente con sal y pimienta. Sirva de inmediato.

INFORMACIÓN DE NUTRICIÓN (en cada porción)
CALORÍAS 297; GRASA 8g; PROTEÍNA 15g; CARB. 47g; FIBRA 9g; CALCIO 223mg; HIERRO 4mg; VITAMINA A (RE) 497mcg; VITAMINA C 15mg; FOLATO 122mcg

NUTRITION TIP
Lowfat 1% milk has less fat and more protein and calcium than whole milk.

CONSEJO DE NUTRICIÓN
La leche con 1% de grasa tiene menos grasa y más proteína y calcio que la leche entera.

SPICY JICAMA SALAD

1   pound jicama, peeled and cut into small
    strips
    juice of 1 orange
    juice of 1 lime
    juice of ½ grapefruit
¼   teaspoon salt
¼   cup olive oil
1   red apple, cored and cut into small strips
1   (15-ounce) can mandarin oranges, drained
2   tablespoons cilantro, finely chopped
½   teaspoon chili powder
6   leaves of romaine lettuce

In a large bowl, combine jicama, orange,
lime, and grapefruit juices. Cover and chill in
refrigerator. Right before serving, add salt,
olive oil, apple, mandarin oranges, cilantro,
and chili powder to bowl and toss thoroughly.
Scoop salad evenly into lettuce leaves and
serve.

NUTRITIONAL INFORMATION (per serving)
CALORIES 178; FAT 9g; PROTEIN 2g; CARB. 24g; FIBER 2g;
CALCIUM 28mg; IRON 1mg; VITAMIN A (RE) 97mcg; VITAMIN
C 68mg; FOLATE 32mcg

NUTRITION TIP
Jicama is low in calories and an excellent source of
vitamin C, making it a great addition to a salad or
crunchy snack for the whole family to enjoy.

CONSEJO DE NUTRICIÓN
Las jícamas son bajas en calorías y una excelente
fuente de vitamina C, lo que hace que sean una
buena opción para añadir a las ensaladas o como
bocadillo crujiente para toda la familia.

ENSALADA PICANTE DE JÍCAMA

1   libra de jícamas, peladas y cortadas en
    tiritas
    jugo de 1 naranja
    jugo de 1 lima
    jugo de ½ toronja
¼   cucharadita de sal
¼   taza de aceite de oliva
1   manzana roja, sin corazón y cortada en
    tiritas
1   lata (15 onzas) de mandarinas, escurridas
2   cucharadas de cilantro finamente picado
½   cucharadita de chile en polvo
6   hojas de lechuga romana

En un tazón grande, mezcle la jícama y los
jugos de naranja, lima y toronja. Cubra y
ponga en el refrigerador. Justo antes de
servirla, añada la sal, el aceite de oliva, la
manzana, las mandarinas, el cilantro y el chile
en polvo al tazón, y revuelva bien. Ponga
cantidades uniformes de ensalada en las hojas
de lechuga y sirva.

INFORMACIÓN DE NUTRICIÓN (en cada porción)
CALORÍAS 178; GRASA 9g; PROTEÍNA 2g; CARB. 24g; FIBRA
2g; CALCIO 28mg; HIERRO 1mg; VITAMINA A (RE) 97mcg;
VITAMINA C 68mg; FOLATO 32mcg

SPINACH MEDLEY

cooking spray
¼ cup onion, chopped
2 cloves garlic, minced
2 zucchinis, chopped
2 cups mushrooms, sliced
1 (16-ounce) can corn, drained and rinsed
¼ cup water
3 bunches spinach, stems removed
1 ½ cups tomatoes, chopped
salt and pepper to taste
1 cup reduced fat mozzarella cheese, shredded (optional)

In a large skillet greased with cooking spray, sauté onions and garlic until tender over medium heat. Add zucchini, mushrooms, corn, and ¼ cup of water. Cover and steam until tender. Add spinach and tomatoes. Cover and steam until wilted. Season with salt and pepper to taste. Garnish with cheese if desired.

NUTRITIONAL INFORMATION (per serving)
CALORIES 265; FAT 7g; PROTEIN 20g; CARB. 36g; FIBER 11g; CALCIUM 477mg; IRON 8mg; VITAMIN A (RE) 2513mcg; VITAMIN C 100mg; FOLATE 541mcg

SURTIDO DE ESPINACAS

aceite vegetal en rociador
¼ taza de cebolla picada
2 dientes de ajo picados
2 calabacitas picadas
2 tazas de champiñones en rebanadas
1 lata (16 onzas) de maíz escurrido y enjuagado
¼ taza de agua
3 racimos de espinacas, sin tallos
1 ½ tazas de tomates picados
sal y pimienta al gusto
1 taza de queso mozzarella rallado con grasa reducida (opcional)

En una sartén grande rociada con aceite vegetal, saltee a fuego medio las cebollas y el ajo hasta que estén suaves. Añada las calabacitas, los champiñones, el maíz y ¼ de taza de agua. Cubra y cocine al vapor hasta que estén suaves. Añada las espinacas y los tomates. Cubra y cocine al vapor hasta que estén suaves. Condimente con sal y pimienta al gusto. Adorne con queso si lo desea.

INFORMACIÓN DE NUTRICIÓN (en cada porción)
CALORÍAS 265; GRASA 7g; PROTEÍNA 20g; CARB. 36g; FIBRA 11g; CALCIO 477mg; HIERRO 8mg; VITAMINA A (RE) 2513mcg; VITAMINA C 100mg; FOLATO 541mcg

NUTRITION TIP
Spinach is a good source of iron which is important for strong blood. The tomatoes in this dish are rich in vitamin C which will help your body absorb the iron.

CONSEJO DE NUTRICIÓN
Las espinacas son una buena fuente de hierro el cual es importante para fortalecer la sangre. Los tomates de este platillo son ricos en vitamina C la cual ayudará a su organismo a absorber el hierro.

ORANGE FUZZY

1   cup nonfat milk
¹/₃   cup frozen orange juice concentrate
³/₄   cup frozen peaches
1   tablespoon sugar (optional)
1   teaspoon vanilla
       ice as needed

Purée all ingredients in a blender until smooth. Serve immediately.

NUTRITIONAL INFORMATION (per serving)
CALORIES 176; FAT 0g; PROTEIN 5.6g; CARB. 37g; FIBER 1.2g; CALCIUM 137mg; IRON 0mg; VITAMIN A (RE) 80mcg; VITAMIN C 122mg; FOLATE 6mcg

NUTRITION TIP
Peaches and nectarines are very similar. The main difference is that a peach has fuzz on its skin while nectarines do not. If you are not a big fan of peaches, go ahead and freeze peeled, sliced nectarines for this smoothie.

CONSEJO DE NUTRICIÓN
Los duraznos y las nectarinas son muy similares. La principal diferencia es que un durazno tiene pelusita en la piel mientras que las nectarinas no la tienen. Si no le gustan mucho los duraznos, congele rebanadas de nectarinas peladas para hacer este licuado.

LICUADO DE NARANJA

1   taza de leche descremada
¹/₃   taza de jugo concentrado de naranja congelado
³/₄   taza de duraznos congelados
1   cucharada de azúcar (opcional)
1   cucharadita de vainilla
       hielo según sea necesario

Bata todos los ingredientes en la licuadora hasta que estén homogéneos. Sirva de inmediato.

INFORMACIÓN DE NUTRICIÓN (en cada porción)
CALORÍAS 176; GRASA 0g; PROTEÍNA 5.6g; CARB. 37g; FIBRA 1.2g; CALCIO 137mg; HIERRO 0mg; VITAMINA A (RE) 80mcg; VITAMINA C 122mg; FOLATO 6mcg

CHERRY SMOOTHIE

¼   cup frozen cherries, pitted
1   (8-ounce) container nonfat cherry yogurt
¼   cup nonfat milk
1   cup ice, crushed

Purée all ingredients in a blender until smooth. Serve immediately.

NUTRITIONAL INFORMATION (per serving)
CALORIES 100; FAT 0g; PROTEIN 5.5g; CARB. 20g; FIBER 0g; CALCIUM 160mg; IRON 0mg; VITAMIN A (RE) 118mcg; VITAMIN C 6.4mg; FOLATE 0mcg

BATIDO DE CEREZA

¼   taza de cerezas congeladas deshuesadas
1   recipiente (8 onzas) de yogur descremado de cereza
¼   taza de leche descremada
1   taza de hielo picado

Bata todos los ingredientes en la licuadora hasta que estén homogéneos. Sirva de inmediato.

INFORMACIÓN DE NUTRICIÓN (en cada porción)
CALORÍAS 100; GRASA 0g; PROTEÍNA 5.5g; CARB. 20g; FIBRA 0g; CALCIO 160mg; HIERRO 0mg; VITAMINA A (RE) 118mcg; VITAMINA C 6.4mg; FOLATO 0mcg

NUTRITION TIP
Cherries are a rich source of potassium, vitamins C and B, as well as many antioxidants. When buying fresh cherries, look for shiny, firm, plump fruit with fresh stems and unbroken skin.

CONSEJO DE NUTRICIÓN
Las cerezas son una fuente rica de potasio, vitaminas C y B, así como de muchos antioxidantes. Cuando compre cerezas frescas, escoja las que estén brillantes, firmes y gorditas, con los tallos tiernos y la piel intacta.

FRUIT & YOGURT PARFAIT

1   apple, chopped
1   banana, peeled and sliced
1   cup papaya, chopped
1   cup strawberries, sliced
1   cup nonfat yogurt, any flavor
1   cup cereal

In a large bowl, combine all fruit and toss.
Divide fruit mixture into serving bowls. Top
each bowl with ¼ cup of yogurt and sprinkle
with cereal.

NUTRITIONAL INFORMATION (per serving)
CALORIES 164; FAT 1g; PROTEIN 4.4g; CARB. 37g; FIBER
4g; CALCIUM 120mg; IRON 3mg; VITAMIN A (RE) 95mcg;
VITAMIN C 50mg; FOLATE 69mcg

NUTRITION TIP
This recipe is packed with nutrients: potassium,
calcium, vitamins A and C and fiber. Use your favorite
flavor yogurt and any WIC cereal that you like.

CONSEJO DE NUTRICIÓN
Esta receta está repleta de nutrientes: potasio, calcio,
vitaminas A y C y fibra. Use su sabor favorito de
yogur y cualquier cereal de WIC que prefiera.

PARFAIT DE FRUTAS Y YOGUR

1   manzana picada
1   plátano, pelado y rebanado
1   taza de papaya picada
1   taza de fresas rebanadas
1   taza de yogur descremado, de cualquier
    sabor
1   taza de cereal

En un tazón grande, coloque todas las frutas
y mézclelas bien. Divida la mezcla de frutas
en tazones de servir. Coloque encima de cada
tazón ¼ taza de yogur y espolvoree con cereal.

INFORMACIÓN DE NUTRICIÓN (en cada porción)
CALORÍAS 164; GRASA 1g; PROTEÍNA 4.4g; CARB. 37g; FIBRA
4g; CALCIO 120mg; HIERRO 3mg; VITAMINA A (RE) 95mcg;
VITAMINA C 50mg; FOLATO 69mcg

PUMPKIN PUDDING

1 (3.4-ounce) package instant vanilla pudding mix
1 ½ cups cold nonfat milk
1 cup canned or mashed pumpkin
½ teaspoon cinnamon

In a medium bowl, beat pudding mix and milk together until well blended, about 2 minutes. Stir in pumpkin and cinnamon. Cover and chill according to pudding package directions before serving.

NUTRITIONAL INFORMATION (per serving)
CALORIES 148; FAT 0g; PROTEIN 4g; CARB. 33g; FIBER 2.6g; CALCIUM 110mg; IRON 0mg; VITAMIN A (RE) 913mcg; VITAMIN C 0.5mg; FOLATE 0mcg

PUDÍN DE CALABAZA

1 paquete (3.4 onzas) de pudín de vainilla instantáneo
1 ½ tazas de leche descremada fría
1 taza de calabaza enlatada o en puré
½ cucharadita de canela

En un tazón mediano, bata el pudín y la leche hasta que estén bien mezclados, aproximadamente 2 minutos. Añada la calabaza y la canela, y mezcle. Cubra y refrigere de acuerdo con las instrucciones del paquete del pudín antes de servir.

INFORMACIÓN DE NUTRICIÓN (en cada porción)
CALORÍAS 148; GRASA 0g; PROTEÍNA 4g; CARB. 33g; FIBRA 2.6g; CALCIO 110mg; HIERRO 0mg; VITAMINA A (RE) 913mcg; VITAMINA C 0.5mg; FOLATO 0mcg

NUTRITION TIP
Pumpkins get their bright orange color from the antioxidant beta-carotene, which your body makes into vitamin A. Diets rich in foods with beta-carotene may reduce the risk of developing certain types of cancer and offer protection against heart disease.

CONSEJO DE NUTRICIÓN
Las calabazas obtienen su color anaranjado brillante del antioxidante betacaroteno, que el organismo transforma en vitamina A. Las dietas ricas en alimentos con betacaroteno pueden reducir el riesgo de padecer ciertos tipos de cáncer y ofrecen protección contra las enfermedades cardíacas.

WHOLE WHEAT BREAD

Shopping for whole wheat bread can be confusing. Keep the following in mind when selecting whole wheat bread:

- Look for whole wheat bread with "100% whole wheat" written on the front label.
- Look at the first ingredient on the food label. The first ingredient should be whole wheat flour.
- "100% wheat" does not mean 100% whole wheat. This just means the only grain used is wheat.
- "Multigrain" means the bread contains more than one kind of grain but not all of them may be whole grains.
- Not all brown bread is 100% whole grain. Many brown breads have color added to make them look like whole wheat.
- "Made with whole grains" means the bread has some of the grain as whole grain. Check the first ingredient.

PAN DE TRIGO INTEGRAL

Comprar pan de trigo integral puede ser confuso. Tenga en cuenta lo siguiente cuando seleccione pan de trigo integral:

- Busque pan de trigo integral que diga "100% whole wheat" (100% de trigo integral) en la etiqueta del frente.
- Vea el primer ingrediente en la etiqueta del alimento. El primer ingrediente debe ser harina de trigo integral.
- "100% de trigo" no significa que es 100% de trigo integral. Eso sólo significa que el único grano usado es trigo.
- "Multigranos" significa que el pan contiene más de un tipo de grano, pero es posible que no todos sean granos enteros.
- No todo el pan de color café es 100% de trigo integral. Muchos panes cafés tienen colorantes añadidos para que parezcan que son de trigo integral.
- "Hecho con granos enteros" significa que algunos de los granos son enteros. Verifique el primer ingrediente.

PEANUT BUTTER & FRUIT SANDWICH

2   slices whole wheat bread
2   tablespoons peanut butter
½   cup fresh fruit, sliced

Spread a tablespoon of peanut butter on each slice of bread. Spread pieces of sliced fruit on bread and place slices together.

NUTRITIONAL INFORMATION (per serving)
CALORIES 364; FAT 18g; PROTEIN 13g; CARB. 40g; FIBER 7g; CALCIUM 43mg; IRON 2mg; VITAMIN A (RE) 2.4mcg; VITAMIN C 2.2mg; FOLATE 28mcg

SÁNDWICH DE CREMA DE CACAHUATE Y FRUTAS

2   rebanadas de pan de trigo integral
2   cucharadas de crema de cacahuate
½   taza de frutas frescas rebanadas

Unte cada rebanada de pan con una cucharada de crema de cacahuate. Esparza la fruta sobre el pan y junte las rebanadas.

INFORMACIÓN DE NUTRICIÓN (en cada porción)
CALORÍAS 364; GRASA 18g; PROTEÍNA 13g; CARB. 40g; FIBRA 7g; CALCIO 43mg; HIERRO 2mg; VITAMINA A (RE) 2.4mcg; VITAMINA C 2.2mg; FOLATO 28mcg

NUTRITION TIP
This sandwich can be made with a variety of sliced fruits such as apples, bananas, kiwis, peaches, pears, pineapples, and strawberries. Try different fruit combinations to see which one you and your family like best!

CONSEJO DE NUTRICIÓN
Este sándwich puede hacerse con una variedad de frutas en rebanadas como manzanas, plátanos, kiwis, duraznos, peras, piñas y fresas. Pruebe diferentes combinaciones de frutas para ver cuál le gusta más a usted y a su familia.

TUNA BURGER

3 ½   tablespoons nonfat mayonnaise, plus ¼ cup
½   tablespoon mustard
1   egg white
2   (5-ounce) cans tuna in water, drained and flaked
½   cup dry breadcrumbs, divided
¼   cup green onions, chopped
    cooking spray
4   whole wheat hamburger buns, split
    lettuce, tomatoes, onion

Combine mayonnaise, mustard, and egg white in medium bowl and stir well. Add tuna, ¼ cup breadcrumbs, and green onions. Mix well. Divide mixture into 4 equal portions, shaping each into a 4-inch patty. Press remaining ¼ cup breadcrumbs evenly onto both sides of patties. Coat a large skillet with cooking spray. Place over medium-high heat, add patties, cover, and cook 3 minutes on both sides until golden brown. Spread ¼ cup mayonnaise evenly on split sides of buns. Assemble burgers.

NUTRITIONAL INFORMATION (per serving)
CALORIES 290; FAT 4g; PROTEIN 25g; CARB. 38g; FIBER 5g; CALCIUM 93mg; IRON 3mg; VITAMIN A (RE) 53mcg; VITAMIN C 7mg; FOLATE 46mcg

NUTRITION TIP
Small amounts of mercury can be found in some fish. Pregnant and breastfeeding women should not eat shark, tilefish, swordfish, or king mackerel and limit consumption to 2 medium size cans of tuna or one pound of other fish per week.

CONSEJO DE NUTRICIÓN
En algunos pescados pueden encontrarse pequeñas cantidades de mercurio. Las mujeres embarazadas y aquéllas que estén lactando no deben comer tiburón, lofolátilo, pez espada ni caballa gigante, y deben limitar el consumo a 2 latas medianas de atún o a una libra de los demás pescados por semana.

HAMBURGUESA DE ATÚN

3 ½   cucharadas de mayonesa sin grasa, más ¼ de taza
½   cucharada de mostaza
1   clara de huevo
2   latas (5 onzas) de atún enlatado en agua, escurrido y desmenuzado
½   taza de migas de pan seco, dividido
¼   taza de cebolletas picadas
    aceite vegetal en rociador
4   panes de hamburguesa de trigo integral, partidos por la mitad
    lechuga, tomate, cebolla

Mezcle la mayonesa, la mostaza y la clara de huevo en un tazón mediano y revuelva bien. Añada el atún, ¼ taza de migas de pan y las cebolletas. Mezcle bien. Divida la mezcla en cuatro partes iguales, formando tortitas de 4 pulgadas cada una. Recubra uniformemente ambos lados de las tortitas con el ¼ de taza restante de migas. Rocíe una sartén grande con aceite vegetal. Colóquela a fuego medio alto, añada las tortitas, cubra y cocine ambos lados durante 3 minutos hasta que estén levemente doradas. Unte ¼ taza de mayonesa uniformemente en el lado cortado de los panes. Prepare las hamburguesas.

INFORMACIÓN DE NUTRICIÓN (en cada porción)
CALORÍAS 290; GRASA 4g; PROTEÍNA 25g; CARB. 38g; FIBRA 5g; CALCIO 93mg; HIERRO 3mg; VITAMINA A (RE) 53mcg; VITAMINA C 7mg; FOLATO 46mcg

CHIPOTLE BREAD PUDDING

2	teaspoons olive oil
½	onion, diced
½	red bell pepper, diced
2	cups corn, fresh or frozen
½	cup green onions, sliced
1	jalapeño pepper, minced
1	teaspoon salt
1	teaspoon cumin
2	cups lowfat milk
3	large eggs
1	cup Jack cheese, shredded, divided
1	tablespoon canned chipotle chilies, chopped
7	cups stale whole wheat bread, cubed cooking spray

Preheat oven to 350°F. In a saucepan, heat olive oil over medium heat. Sauté onions and bell pepper until tender. Add corn, green onions, and jalapeño; sauté. Remove from heat. In a large bowl, whisk together salt, cumin, milk, eggs, ½ cup cheese and chilies. Stir in corn mixture and bread. Soak for 30 minutes. Pour into a 8-inch square pan coated with cooking spray. Sprinkle remaining ½ cup cheese. Bake for 45 minutes.

NUTRITIONAL INFORMATION (per serving)
CALORIES 436; FAT 19g; PROTEIN 23g; CARB. 42g; FIBER 5.4g; CALCIUM 386mg; IRON 2mg; VITAMIN A (RE) 185mcg; VITAMIN C 23mg; FOLATE 16mcg

PUDÍN DE PAN CON CHIPOTLE

2	cucharaditas de aceite de oliva
½	cebolla picada
½	pimiento morrón rojo en cubitos
2	tazas de maíz, fresco o congelado
½	taza de cebolletas rebanadas
1	chile jalapeño picado
1	cucharadita de sal
1	cucharadita de comino
2	tazas de leche baja en grasa
3	huevos grandes
1	taza de queso Jack, rallado y dividido
1	cucharada de chiles chipotles enlatados, picados
7	tazas de pan de trigo integral duro, cortado en cuadros aceite vegetal en rociador

Precaliente el horno a 350°F. En una cacerola, caliente el aceite de oliva a fuego medio. Saltee las cebollas y el pimiento morrón hasta que estén suaves. Añada el maíz, las cebolletas y el jalapeño, y saltee. Retire del fuego. En un tazón grande, mezcle la sal, el comino, la leche, los huevos, ½ taza de queso y los chiles. Añada la mezcla de maíz y el pan, y mezcle. Deje que se remoje durante 30 minutos. Viértala en un molde cuadrado de 8 pulgadas rociado con aceite vegetal. Esparza la ½ taza de queso restante. Hornee durante 45 minutos.

INFORMACIÓN DE NUTRICIÓN (en cada porción)
CALORÍAS 436; GRASA 19g; PROTEÍNA 23g; CARB. 42g; FIBRA 5.4g; CALCIO 386mg; HIERRO 2mg; VITAMINA A (RE) 185mcg; VITAMINA C 23mg; FOLATO 13mcg

NUTRITION TIP
Lowfat 1% milk is lower in fat and calories and still contains the same amount of calcium, protein, vitamins, and minerals as whole milk.

CONSEJO DE NUTRICIÓN
La leche con 1% de grasa es más baja en grasa y en calorías y aún así contiene la misma cantidad de calcio, proteína, vitaminas y minerales que la leche entera.

APPLE PIE BREAD PUDDING

	cooking spray
2	green apples, peeled and chopped
1	cup sugar
1	tablespoon cinnamon
1	teaspoon nutmeg
6	cups stale whole wheat bread, cubed
3	large eggs
2	cups lowfat milk
1	teaspoon vanilla extract
½	teaspoon salt
2	tablespoons butter
¼	cup brown sugar
1	cup walnuts, toasted and chopped

Preheat oven to 325°F and grease a 8-inch square pan with cooking spray. In a large bowl, combine apples, sugar, cinnamon, nutmeg, and bread cubes. In a separate bowl, whisk together eggs, milk, vanilla, and salt. Pour over bread cubes and stir to coat. Soak for 30 minutes. Meanwhile, melt butter in a saucepan. Stir in brown sugar and cook until sugar melts and is bubbly. Remove from heat, stir in walnuts and set aside. Pour bread mixture into prepared pan. Bake for 30 minutes, remove from oven and sprinkle walnuts over pudding. Return to oven and bake until pudding is puffed and sides are pulled away from pan.

NUTRITIONAL INFORMATION (per serving)
CALORIES 423; FAT 16g; PROTEIN 11g; CARB. 60g; FIBER 5g; CALCIUM 120mg; IRON 2mg; VITAMIN A (RE) 75mcg; VITAMIN C 3mg; FOLATE 26mcg

NUTRITION TIP
Use day old or very dry whole wheat bread for the best pudding results. Very fresh bread will make the pudding spongy. If your bread is fresh, toast it!

CONSEJO DE NUTRICIÓN
Use el pan de trigo integral del día anterior o que esté muy seco para obtener los mejores resultados con el pudín. El pan recién hecho hará que el pudín quede esponjoso. Si el pan es nuevo, tuéstelo.

PUDÍN DE PAN CON MANZANAS

	aceite vegetal en rociador
2	manzanas verdes, peladas y picadas
1	taza de azúcar
1	cucharada de canela
1	cucharadita de nuez moscada
6	tazas de pan de trigo integral duro, cortado en cuadros
3	huevos grandes
2	tazas de leche baja en grasa
1	cucharadita de extracto de vainilla
½	cucharadita de sal
2	cucharadas de mantequilla
¼	taza de azúcar morena
1	taza de nueces de Castilla, tostadas y picadas

Precaliente el horno a 325°F y rocíe un molde cuadrado de 8 pulgadas con aceite vegetal. En un tazón grande, mezcle las manzanas, el azúcar, la canela, la nuez moscada y los cuadros de pan. En un tazón separado, bata los huevos, la leche, la vainilla y la sal. Vierta sobre los pedazos de pan y revuelva para que queden bien recubiertos. Deje que se remoje durante 30 minutos. Mientras tanto, derrita la mantequilla en una cacerola. Añada el azúcar morena y cocine hasta que el azúcar se derrita y esté burbujeando. Retire del fuego, añada las nueces y apártela. Vierta la mezcla de pan en el molde preparado. Hornee durante 30 minutos, saque del horno y esparza las nueces sobre el pudín. Vuelva a meter el pudín al horno y hornéelo hasta que esté inflado y los lados se separen de los bordes del molde.

INFORMACIÓN DE NUTRICIÓN (en cada porción)
CALORÍAS 423; GRASA 16g; PROTEÍNA 11g; CARB. 60g; FIBRA 5g; CALCIO 120mg; HIERRO 2mg; VITAMINA A (RE) 75mcg; VITAMINA C 3mg; FOLATO 26mcg

BAKED APPLE TOPPING

8   apples, peeled, cored and quartered
2   cups apple juice

Preheat oven to 450°F. Arrange apples in a large roasting pan. Pour apple juice over apples. Bake for 30 minutes, or until tender and lightly browned. Using a fork, mash the apples in the roasting pan until smooth. Reduce oven temperature to 350°F. Bake the mashed apple puree, stirring occasionally, for 1 ½ hours or until thick and deeply browned. Scrape into a bowl and let cool in the refrigerator. This sauce can be refrigerated for up to 2 weeks.

NUTRITIONAL INFORMATION (per serving)
CALORIES 110; FAT 0g; PROTEIN 0g; CARB. 29g; FIBER 5g; CALCIUM 5mg; IRON 0mg; VITAMIN A (RE) 10mcg; VITAMIN C 12mg; FOLATE 0mcg

NUTRITION TIP
Spread this apple topping on toast, pancakes, and muffins for added fiber and antioxidants.

CONSEJO DE NUTRICIÓN
Para consumir más fibra y antioxidantes, unte el pan tostado, los hot cakes y panecillos con este puré de manzanas.

PURÉ DE MANZANAS AL HORNO

8   manzanas peladas, sin corazón y cortadas en cuatro rodajas
2   tazas de jugo de manzana

Precaliente el horno a 450°F. Coloque las manzanas en una bandeja para asar. Vierta el jugo de manzana sobre las manzanas. Hornee durante 30 minutos o hasta que estén suaves y ligeramente doradas. Con un tenedor, muela las manzanas en la bandeja para asar hasta que tengan una consistencia homogénea. Reduzca la temperatura del horno a 350°F. Hornee el puré de manzana, revolviendo de vez en cuando, durante 1½ horas o hasta que se espese o esté dorado. Páselo a un recipiente y deje que se enfríe en el refrigerador. Esta salsa puede refrigerarse hasta durante 2 semanas.

INFORMACIÓN DE NUTRICIÓN (en cada porción)
CALORÍAS 110; GRASA 0g; PROTEÍNA 0g; CARB. 29g; FIBRA 5g; CALCIO 5mg; HIERRO 0mg; VITAMINA A (RE) 10mcg; VITAMINA C 12mg; FOLATO 0mcg

PEANUT BUTTER FRENCH TOAST

2 slices of whole wheat bread
1 tablespoon strawberry jam
1 tablespoon peanut butter
½ cup nonfat milk
1 whole egg
cooking spray

Using the first 3 ingredients, make a peanut butter and jelly sandwich. In a bowl, beat the egg and milk together. Carefully dip the whole sandwich in the egg and milk mixture. Spray a medium skillet lightly with cooking spray. Heat over medium heat and add sandwich to pan. Lightly brown both sides of the sandwich and serve warm.

NUTRITIONAL INFORMATION (per serving)
CALORIES 449; FAT 15g; PROTEIN 22g; CARB. 53g; FIBER 5g; CALCIUM 152mg; IRON 2.5mg; VITAMIN A (RE) 121mcg; VITAMIN C 0.6mg; FOLATE 24mcg

TOSTADA FRANCESA CON CREMA DE CACAHUATE

2 rebanadas de pan de trigo integral
1 cucharada de mermelada de fresa
1 cucharada de crema de cacahuate
½ taza de leche descremada
1 huevo entero
aceite vegetal en rociador

Con los primeros 3 ingredientes, haga un sándwich de crema de cacahuate y mermelada. En un tazón, bata el huevo y la leche. Sumerja cuidadosamente el sándwich completo en la mezcla de huevo y leche. Rocíe ligeramente una sartén mediana con aceite vegetal. Caliente a temperatura media y ponga el sándwich en la sartén. Dore levemente ambos lados del sándwich y sirva caliente.

INFORMACIÓN DE NUTRICIÓN (en cada porción)
CALORÍAS 449; GRASA 15g; PROTEÍNA 22g; CARB. 53g; FIBRA 5g; CALCIO 152mg; HIERRO 2.5mg; VITAMINA A (RE) 121mcg; VITAMINA C 0.6mg; FOLATO 24mcg

NUTRITION TIP
When shopping for bread, always look for "100% whole wheat" on the label. These breads are made with whole grains and will have more fiber per serving than "multi-grain" or plain "wheat" breads.

CONSEJO DE NUTRICIÓN
Cuando compre el pan, siempre busque etiquetas que digan "100% de trigo integral". Esos panes están hechos con granos enteros y tendrán más fibra por ración que los panes de "multigranos" o de trigo común.

BROWN RICE

When grains, such as brown rice, grow in the fields, they have three edible parts: the fiber-rich bran, the heart healthy germ, and the starchy endosperm. Whole grains keep all three parts even after they are ground up. Refined or enriched grains, such as white rice, contain only the starchy endosperm.

Since brown rice is a whole grain, it has more fiber than white rice. One cup of brown rice has 3 ½ grams of fiber, while the same amount of white rice has less than one gram of fiber. It is recommended to have 25-38 grams of fiber in our diets every day.

ARROZ INTEGRAL

Cuando los granos, tales como el arroz integral, crecen en los campos, se componen de tres partes que pueden comerse: El salvado rico en fibra, el germen para un corazón sano y el endospermo con almidón. Los granos enteros mantienen las tres partes incluso después de que se muelen. Los granos refinados o enriquecidos, tales como el arroz blanco, contienen solamente el endospermo de almidón.

Ya que el arroz integral es un grano entero, tiene más fibra que el arroz blanco. Una taza de arroz integral tiene 3½ gramos de fibra, mientras que la misma cantidad de arroz blanco tiene menos de un gramo de fibra. Se recomienda consumir de 25 a 38 gramos de fibra en nuestras dietas cotidianas.

HOW TO COOK BROWN RICE

2 cups water
1 cup uncooked brown rice

Bring water to a boil in a heavy saucepan. Add rice. Return to a boil, reduce heat and simmer covered for 35-40 minutes. Check to make sure all the water has been absorbed by gently moving the rice with a small spoon to see if water is left on the bottom of the pan. Do not stir the rice. Remove lid and let sit for 5 minutes. Makes about 3 cups.

NUTRITIONAL INFORMATION (per serving)
CALORIES 114; FAT 1g; PROTEIN 2g; CARB. 24g; FIBER 1g; CALCIUM 9mg; IRON 0.5mg; VITAMIN A (RE) 0mcg; VITAMIN C 0mg; FOLATE 6mcg

CÓMO COCINAR EL ARROZ INTEGRAL

2 tazas de agua
1 taza de arroz integral crudo

Ponga el agua a hervir en una cacerola gruesa. Añada el arroz. Deje que vuelva a hervir, reduzca la temperatura y cocine a fuego lento, cubierto durante 35 a 40 minutos. Revise para asegurarse de que toda el agua se haya absorbido, moviendo el arroz cuidadosamente con una cuchara pequeña para ver si hay agua en el fondo de la cacerola. No revuelva el arroz. Quite la tapa y deje que repose durante 5 minutos. Rinde aproximadamente para 3 tazas.

INFORMACIÓN DE NUTRICIÓN (en cada porción)
CALORÍAS 114; GRASA 1g; PROTEÍNA 2g; CARB. 24g; FIBRA 1g; CALCIO 9mg; HIERRO 0.5mg; VITAMINA A (RE) 0mcg; VITAMINA C 0mg; FOLATO 6mcg

NUTRITION TIP
Making a permanent switch from refined grains such as white rice to brown rice, a whole grain, will increase the fiber in your daily diet, which may help reduce your risk of chronic diseases.

CONSEJO DE NUTRICIÓN
Hacer el cambio permanente de granos refinados tales como el arroz blanco al arroz integral, el cual es un grano entero, aumentará la cantidad de fibra que consume en su dieta diaria, lo cual le puede ayudar a reducir el riesgo de enfermedades crónicas.

PINEAPPLE FRIED RICE

1   cup uncooked brown rice
1   (8-ounce) can crushed pineapple, with juice
1   tablespoon plus ½ teaspoon oil
2   eggs, beaten
1   (14-ounce) package tofu, extra firm, cubed
¾   cup mushrooms, chopped
3   tablespoons soy sauce
3   green onions, thinly sliced
1   cup carrots, diced

Cook rice according to package directions, substituting the pineapple juice for some of the water. In a nonstick pan, heat 1 tablespoon of oil. Add the eggs and cook without stirring, until set. Slide eggs on to cutting board and cut into short, narrow strips. In the same pan, heat ½ teaspoon oil and sauté tofu, mushrooms, soy sauce, green onions, and carrots until crisp tender. Stir in cooked rice, pineapple, and egg strips. Cook until heated through. Serve hot.

NUTRITIONAL INFORMATION (per serving)
CALORIES 469; FAT 17g; PROTEIN 26g; CARB. 57g; FIBER 6g; CALCIUM 740mg; IRON 4.2mg; VITAMIN A (RE) 1046mcg; VITAMIN C 12mg; FOLATE 66mcg

ARROZ FRITO CON PIÑA

1   taza de arroz integral crudo
1   lata (8 onzas) de piña triturada, con su jugo
1   cucharada más ½ cucharadita de aceite
2   huevos batidos
1   paquete (14 onzas) de tofu, extra firme, cortado en cubitos
¾   taza de champiñones picados
3   cucharadas de salsa de soya
3   cebolletas en rebanadas finas
1   taza de zanahorias rebanadas

Cocine el arroz de acuerdo con las instrucciones del paquete, sustituyendo parte del agua por el jugo de la piña. En una cacerola antiadherente, caliente 1 cucharada de aceite. Añada los huevos y cocine sin revolver, hasta que estén firmes. Pase los huevos a una tabla de cortar y corte tiras cortas y angostas. En la misma cacerola, caliente ½ cucharadita de aceite y saltee el tofu, los champiñones, la salsa de soya, las cebolletas y las zanahorias hasta que estén suaves y crujientes. Añada el arroz cocido, la piña y las tiras de huevo, y mezcle. Cocine hasta que esté bien caliente todo. Sírvalo caliente.

INFORMACIÓN DE NUTRICIÓN (en cada porción)
CALORÍAS 469; GRASA 17g; PROTEÍNA 26g; CARB. 57g; FIBRA 6g; CALCIO 740mg; HIERRO 4.2mg; VITAMINA A (RE) 1046mcg; VITAMINA C 12mg; FOLATO 66mcg

NUTRITION TIP
When choosing canned fruit, pick the one that is packed in its own juice. Avoid canned fruit that is packed in syrup.

CONSEJO DE NUTRICIÓN
Cuando seleccione frutas enlatadas, escoja aquéllas que estén envasadas en su propio jugo. Evite las frutas enlatadas que vienen envasadas en almíbar.

MORNING RICE

½ cup cooked brown rice*
¼ cup lowfat milk or soymilk
1 apple, peeled, cored, and finely chopped
¼ teaspoon vanilla extract
¼ teaspoon cinnamon

Mix all ingredients in a microwave safe bowl. Heat on high for 1-2 minutes or until heated through.

* See page 36 for how to cook brown rice.

NUTRITIONAL INFORMATION (per serving)
CALORIES 220; FAT 1.5g; PROTEIN 4.7g; CARB. 48g; FIBER 7g; CALCIUM 92mg; IRON 1mg; VITAMIN A (RE) 35mcg; VITAMIN C 5mg; FOLATE 4mcg

ARROZ MAÑANERO

½ taza de arroz integral cocido*
¼ taza de leche baja en grasa o leche de soya
1 manzana, pelada, sin corazón y finamente picada
¼ cucharadita de extracto de vainilla
¼ cucharadita de canela

Mezcle todos los ingredientes en un tazón para microondas. Caliente a temperatura alta durante 1 a 2 minutos o hasta que esté bien caliente.

* Vea la página 36 para saber cómo cocinar arroz integral.

INFORMACIÓN DE NUTRICIÓN (en cada porción)
CALORÍAS 220; GRASA 1.5g; PROTEÍNA 4.7g; CARB. 48g; FIBRA 7g; CALCIO 92mg; HIERRO 1mg; VITAMINA A (RE) 35mcg; VITAMINA C 5mg; FOLATO 4mcg

NUTRITION TIP
Lowfat 1% milk is a healthy choice for you and your family. Using it in place of water when making hot cereals adds protein and calcium to your meal!

CONSEJO DE NUTRICIÓN
La leche con 1% de grasa es una elección muy saludable para usted y su familia. Usarla en lugar de agua para preparar los cereales calientes, añade proteína y calcio a sus alimentos.

BEEF & VEGETABLES

½   cup steak sauce
¼   cup soy sauce
3   cloves garlic, crushed
1   pound top round steak, thinly sliced
      cooking spray
1   (16-ounce) bag frozen mixed oriental
      vegetables, thawed
3   cups cooked brown rice *

In a small bowl, combine steak sauce, soy
sauce, and garlic. Pour mixture over steak
in a glass dish. Cover and refrigerate for 1
hour, stirring occasionally. Remove steak from
marinade and save marinade. Lightly coat a
large skillet with cooking spray. Over medium-
high heat, stir-fry steak 3-4 minutes or until
meat is no longer pink. Remove steak with
slotted spoon, keep warm. In same skillet,
heat vegetables and reserved marinade to a
boil. Reduce heat to low, cover, and simmer for
2 to 3 minutes. Stir in beef and heat through.
Serve over brown rice.

* See page 36 for how to cook brown rice.

NUTRITIONAL INFORMATION (per serving)
CALORIES 400; FAT 9g; PROTEIN 32g; CARB. 42g; FIBER 4g ;
CALCIUM 48mg; IRON 3.5g; VITAMIN A (RE) 43mcg; VITAMIN
C 17mg; FOLATE 18mcg

NUTRITION TIP
Frozen vegetables are nutritious and convenient
since the washing and slicing has already been
done for you!

CONSEJO DE NUTRICIÓN
Las verduras congeladas son nutritivas y prácticas
dado que ya están lavadas y cortadas.

CARNE DE RES Y VERDURAS

½   taza de salsa para carne
¼   taza de salsa de soya
3   dientes de ajo, machacados
1   libra de bistec de pulpa negra (*top round*),
      en tiras finas
      aceite vegetal en rociador
1   bolsa (16 onzas) de verduras orientales
      surtidas congeladas, previamente
      descongeladas
3   tazas de arroz integral cocido *

En un tazón pequeño, mezcle la salsa
para carne, la salsa de soya y el ajo. Vierta
la mezcla sobre el bistec en un plato de
vidrio. Cubra y refrigere durante una hora,
revolviendo de vez en cuando. Retire el bistec
del marinado y conserve este último. Rocíe
ligeramente una sartén grande con aceite
vegetal. A fuego medio alto, saltee el bistec
durante 3 a 4 minutos o hasta que la carne ya
no esté rosa. Retire la carne con una cuchara
ranurada y manténgala caliente. En la misma
sartén, caliente las verduras y el marinado
que conservó hasta que hierva. Reduzca la
temperatura, cubra y cocine a fuego lento
durante 2 a 3 minutos. Añada la carne, mezcle
y caliente bien. Acompáñelos con arroz
integral.

* Vea la página 36 para saber cómo cocinar arroz integral.

INFORMACIÓN DE NUTRICIÓN (en cada porción)
CALORÍAS 400; GRASA 9g; PROTEÍNA 32g; CARB. 42g; FIBRA
4g; CALCIO 48mg; HIERRO 3.5mg; VITAMINA A (RE) 43mcg;
VITAMINA C 17mg; FOLATO 18mcg

SPANISH BROWN RICE

1   tablespoon olive oil
½   red onion, diced
2   cloves garlic, minced
½   green bell pepper, diced
1   large tomato, diced
1   jalapeño, seeds removed, minced
2   green onions, chopped
1   teaspoon chili powder
1   teaspoon salt
3   cups cooked brown rice *

In a skillet over medium-high heat, sauté red onions, garlic and green bell peppers in olive oil until tender. Add tomatoes, jalapeño, green onions, chili powder, and salt. Cook until softened. Stir in brown rice. Cook over high heat for a few minutes, allowing any liquid in the pan to evaporate.

* See page 36 for how to cook brown rice.

NUTRITIONAL INFORMATION (per serving)
CALORIES 145; FAT 3g; PROTEIN 3g; CARB. 26g; FIBER 3g; CALCIUM 23mg; IRON 0.7mg; VITAMIN A (RE) 49mcg; VITAMIN C 15mg; FOLATE 16mcg

ARROZ INTEGRAL ESPAÑOL

1   cucharada de aceite de oliva
½   cebolla roja picada
2   dientes de ajo picados
½   pimiento morrón verde en cubitos
1   tomate grande en cubitos
1   chile jalapeño, sin semillas y picado
2   cebolletas picadas
1   cucharadita de chile en polvo
1   cucharadita de sal
3   tazas de arroz integral cocido*

En una sartén a fuego medio alto, saltee la cebolla roja, el ajo y el pimiento morrón verde en aceite de oliva hasta que estén suaves. Añada los tomates, el jalapeño, las cebolletas, el chile en polvo y la sal. Cocine hasta que estén suaves. Añada el arroz integral y mezcle. Cocine a fuego alto por varios minutos, hasta que se evapore el líquido que pueda haber en la sartén.

* Vea la página 36 para saber cómo cocinar arroz integral.

INFORMACIÓN DE NUTRICIÓN (en cada porción)
CALORÍAS 145; GRASA 3g; PROTEÍNA 3 g; CARB. 26g; FIBRA 3g; CALCIO 23mg; HIERRO 0.7mg; VITAMINA A (RE) 49mcg; VITAMINA C 15mg; FOLATO 16mcg

NUTRITION TIP
To reduce the spiciness to any dish, make sure to remove the seeds from the jalapeño. Using a knife, scrap and cut the seeds and light green membrane out. Try not to get any oil from the seeds on your hands. Rubbing your eyes with this oil on your hands is very painful!

CONSEJO DE NUTRICIÓN
Para reducir lo picante de cualquier platillo, asegúrese de quitar las semillas de los chiles jalapeños. Usando un cuchillo, talle y corte las semillas y la membrana verde clara. Trate de no tocar el aceite de las semillas con las manos. Tallarse los ojos con este aceite en las manos puede ser muy doloroso.

ZUCCHINI & BROWN RICE SOUP

6   cups low sodium chicken broth
½   cup uncooked brown rice
1   large onion, sliced
1   large carrot, chopped
2   tablespoons olive oil
1   pound zucchini, grated
½   pound kale leaves, julienned
       salt and pepper to taste

In a heavy saucepan, bring chicken broth to a boil. Stir in brown rice, bring to a simmer, cover, and cook for about 40 minutes or until rice is tender. In a large sauté pan, cook onions and carrots in olive oil until tender. Add zucchini and cook for 4-5 minutes. Mix in kale, stirring until wilted. Set aside. When the rice is tender, stir in zucchini mixture, season with salt and pepper. The soup will be fairly thick. If desired, thin with additional broth. To make a heartier soup, add cooked chicken or cooked beans.

NUTRITIONAL INFORMATION (per serving)
CALORIES 175; FAT 7g; PROTEIN 7g; CARB. 24g; FIBER 3g; CALCIUM 90mg; IRON 1mg; VITAMIN A (RE) 822mcg; VITAMIN C 61mg; FOLATE 41mcg

SOPA DE CALABACITAS Y ARROZ INTEGRAL

6   tazas de caldo de pollo bajo en sodio
½   taza de arroz integral crudo
1   cebolla grande en rebanadas
1   zanahoria grande picada
2   cucharadas de aceite de oliva
1   libra de calabacitas ralladas
½   libra de hojas de col rizada en tiras largas
       sal y pimienta al gusto

En una cacerola gruesa, ponga el caldo de pollo a hervir. Añada el arroz integral, deje que vuelva a hervir a fuego lento, cubra y cocine durante aproximadamente 40 minutos o hasta que el arroz esté suave. En una sartén grande, saltee las cebollas y las zanahorias en aceite de oliva hasta que estén suaves. Añada las calabacitas y cocine durante 4 a 5 minutos. Añada la col rizada, revolviendo hasta que se suavice. Aparte la mezcla. Cuando el arroz esté suave, añada la mezcla de las calabacitas, condimente con sal y pimienta. La sopa estará bastante espesa. Si lo desea, puede añadir caldo para que esté menos espesa. Para que la sopa sea más sustanciosa, añada pollo cocido o frijoles cocidos.

INFORMACIÓN DE NUTRICIÓN (en cada porción)
CALORÍAS 175; GRASA 7g; PROTEÍNA 7g; CARB. 24g; FIBRA 3g; CALCIO 90mg; HIERRO 1mg; VITAMINA A (RE) 822mcg; VITAMINA C 61mg; FOLATO 41mcg

NUTRITION TIP
Kale is full of nutrients that may decrease your risk of some cancers. It can be cooked several different ways. If you have kale left over from this recipe, try adding it to omelets, pizza toppings, or other soups and stir-fry recipes.

CONSEJO DE NUTRICIÓN
La col rizada está llena de nutrientes que pueden reducir su riesgo de padecer ciertos cánceres. Puede cocinarse de varias maneras diferentes. Si le queda col rizada de esta receta, pruebe añadiéndola a tortillas de huevo, como ingrediente para pizzas o en otras sopas y platillos salteados.

EASY ASIAN STIR FRY

1	pound extra lean ground beef
½	tablespoon garlic salt
¾	cup celery, sliced
1	cup bean sprouts
½	cup green onions, chopped
2	cups snow peas, cut into 1-inch pieces
2	cups green beans, cut into 1-inch pieces
3	tablespoons reduced sodium soy sauce

In a skillet over high heat, cook ground beef with garlic salt until beef is browned. Drain excess fat. Add all vegetables and cook until crisp tender. Stir in soy sauce. Serve over brown rice.

NUTRITIONAL INFORMATION (per serving)
CALORIES 91; FAT 2.3g; PROTEIN 12.5g; CARB. 5g; FIBER 2g; CALCIUM 27mg; IRON 2mg; VITAMIN A (RE) 31mcg; VITAMIN C 15mg; FOLATE 20mcg

PLATILLO SENCILLO SALTEADO AL ESTILO ORIENTAL

1	libra de carne molida de res extra magra
½	cucharada de sal de ajo
¾	taza de apio rebanado
1	taza de germinado de soya
½	taza de cebolletas picadas
2	tazas de chícharos mollares, cortados en trozos de 1 pulgada
2	tazas de ejotes, cortados en trozos de 1 pulgada
3	cucharadas de salsa de soya baja en sodio

En una sartén a fuego alto, cocine la carne molida con sal de ajo hasta que se dore bien. Escurra el exceso de grasa. Añada todas las verduras y cocine hasta que estén suaves y crujientes. Añada la salsa de soya y mezcle. Sirva sobre arroz integral.

INFORMACIÓN DE NUTRICIÓN (en cada porción)
CALORÍAS 91; GRASA 2.3g; PROTEÍNA 12.5g; CARB. 5g; FIBRA 2g; CALCIO 27mg; HIERRO 2mg; VITAMINA A (RE) 31mcg; VITAMINA C 15mg; FOLATO 20mcg

NUTRITION TIP
Lean ground beef is an excellent source of protein, iron, zinc, and many B vitamins. To minimize fat content, look for ground beef labeled at least 90% lean.

CONSEJO DE NUTRICIÓN
La carne molida de res magra es una excelente fuente de proteína, hierro, cinc y muchas vitaminas B. Para reducir el contenido de grasa, busque carne molida de res de clasificación mínima de 90% sin grasa.

WHOLE WHEAT & CORN TORTILLAS

Whole wheat and corn tortillas are considered whole grain foods. They are not "enriched" like refined grains, meaning, the vitamins are added back because they were taken away when they were processed.

Switching from refined white flour tortillas to whole wheat or corn tortillas will increase the amount of fiber into your daily diet, which may help with constipation. Overall, eating a diet with a variety of whole grains may reduce the risk for heart disease, high cholesterol, stroke, high blood pressure, type 2 diabetes, and some types of cancer.

TORTILLAS DE TRIGO INTEGRAL Y DE MAÍZ

Las tortillas de maíz y de trigo integral se consideran alimentos de grano entero o integral. Estos granos no están "enriquecidos" como los granos refinados, a los que se vuelven a añadir las vitaminas que fueron eliminadas durante su procesamiento.

Cambiar de tortillas de harina refinada blanca a tortillas de maíz o de trigo integral, aumentará la cantidad de fibra que consume en su dieta diaria, lo cual puede ayudar con el estreñimiento. En general, seguir una dieta con una variedad de granos enteros puede reducir el riesgo de padecer enfermedades cardíacas, colesterol alto, accidentes cerebrovasculares, hipertensión, diabetes tipo 2 y algunos tipos de cánceres.

PIZZA PLEASE

2   whole wheat tortillas
2   tablespoons tomato paste
½   teaspoon Italian seasoning
1   tomato, thinly sliced
2   tablespoons mozzarella cheese, shredded

Preheat oven to 425°F. Pierce tortillas with a knife and place on a baking sheet. Bake for 2 minutes or until crisp. Spread tomato paste evenly on both tortillas. Sprinkle with Italian seasoning. Add a layer of tomatoes and mozzarella cheese. Bake for 5 minutes or until cheese has melted.

NUTRITIONAL INFORMATION (per serving)
CALORIES 128; FAT 2.4g; PROTEIN 6g; CARB. 27g; FIBER 3g; CALCIUM 70mg; IRON 1.3mg; VITAMIN A (RE) 90mcg; VITAMIN C 15mg; FOLATE 8.4mcg

PIZZA POR FAVOR

2   tortillas de trigo integral
2   cucharadas de pasta de tomate
½   cucharadita de condimento italiano
1   tomate en rebanadas finas
2   cucharadas de queso mozzarella rallado

Precaliente el horno a 425°F. Perfore las tortillas con un cuchillo y colóquelas en una bandeja de hornear. Hornéelas durante 2 minutos o hasta que estén crujientes. Unte uniformemente ambas tortillas con la pasta de tomate. Espolvoréelas con el condimento italiano. Añada una capa de tomates y queso mozzarella. Hornee durante 5 minutos o hasta que se derrita el queso.

INFORMACIÓN DE NUTRICIÓN (en cada porción)
CALORÍAS 128; GRASA 2.4g; PROTEÍNA 6g; CARB. 27g; FIBRA 3g; CALCIO 70mg; HIERRO 1.3mg; VITAMINA A (RE) 90mcg; VITAMINA C 15mg; FOLATO 8.4mcg

NUTRITION TIP
Instead of reaching into your freezer for a frozen pizza, try making this quick and healthy meal. The lycopene found in the tomato paste and sliced tomatoes may protect against some cancers.

CONSEJO DE NUTRICIÓN
En lugar de sacar una pizza del congelador, prepare esta rápida y saludable comida. El licopeno que se encuentra en la pasta de tomate y en las rebanadas de tomate puede proteger contra ciertos cánceres.

APPLE CHICKEN QUESADILLA

4	whole wheat tortillas
1	cup chicken, cooked, and shredded
1	cup cheddar cheese, grated
1	apple, thinly sliced
¼	cup salsa

Heat a large saucepan over medium heat. Sprinkle ¼ cup of cheese on half of the tortilla. Add ¼ cup chicken on top of cheese. Add a thin layer of apples and salsa. Fold tortilla in half. Flip and cook both sides of the quesadilla. Remove from heat when cheese has melted and cut into triangles.

NUTRITIONAL INFORMATION (per serving)
CALORIES 271; FAT 4g; PROTEIN 23g; CARB. 32g; FIBER 3g; CALCIUM 199mg; IRON 2mg; VITAMIN A (RE) 48mcg; VITAMIN C 6mg; FOLATE 0mcg

NUTRITION TIP
If you have a child that is a picky eater, try sneaking some vegetables into the quesadilla. Simply steam and finely chop a variety of vegetables such as broccoli, cauliflower, carrots, or spinach. Sprinkle a layer of vegetables onto the tortilla followed by a layer of cheese.

CONSEJO DE NUTRICIÓN
Si tiene un niño que es quisquilloso para comer, trate de añadir algunas verduras en la quesadilla sin que se noten. Simplemente cocine al vapor y pique finamente verduras como brócoli, coliflor, zanahorias o espinacas. Esparza una capa de verduras en la tortilla y después una capa de queso.

QUESADILLA DE POLLO CON MANZANAS

4	tortillas de trigo integral
1	taza de pollo, cocido y desmenuzado
1	taza de queso cheddar, rallado
1	manzana en rebanadas finas
¼	taza de salsa

Caliente una cacerola grande a fuego medio. Esparza ¼ de taza de queso en la mitad de la tortilla. Añada ¼ de taza de pollo encima del queso. Después añada una capa fina de manzanas y salsa. Doble la tortilla por la mitad. Voltee y cocine ambos lados de la quesadilla. Retírela del fuego cuando se derrita el queso y córtela en triángulos

INFORMACIÓN DE NUTRICIÓN (en cada porción)
CALORÍAS 271; GRASA 4g; PROTEÍNA 23g; CARB. 32g; FIBRA 3g; CALCIO 199mg; HIERRO 2mg; VITAMINA A (RE) 48mcg; VITAMINA C 6mg; FOLATO 0mcg

VEGETARIAN TACOS

1	(16-ounce) can black beans, drained and rinsed, or 2 cups cooked black beans*
1	(8-ounce) can corn, drained and rinsed
1	(4-ounce) can diced green chilies, drained
½	onion, diced
1	tomato, chopped
2	tablespoons cilantro, chopped
3	tablespoons lime juice
1	teaspoon salt
½	teaspoon pepper
½	head lettuce, shredded
¼	head red cabbage, shredded
12	corn tortillas

In a medium bowl, mix together beans, corn, chilies, onions, tomatoes, cilantro, lime juice, salt, and pepper. Fill tortillas with bean mixture and top with lettuce and shredded cabbage.

* See page 76 for how to cook dry beans.

NUTRITIONAL INFORMATION (per serving)
CALORIES 237; FAT 2g; PROTEIN 10g; CARB. 47g; FIBER 10g; CALCIUM 43mg; IRON 2mg; VITAMIN A (RE) 56mcg; VITAMIN C 29mg; FOLATE 92mcg

TACOS VEGETARIANOS

1	lata (16 onzas) de frijoles negros, escurridos y enjuagados, o 2 tazas de frijoles negros cocidos*
1	lata (8 onzas) de maíz escurrido y enjuagado
1	lata (4 onzas) de chiles verdes picados, escurridos
½	cebolla picada
1	tomate picado
2	cucharadas de cilantro picado
3	cucharadas de jugo de lima
1	cucharadita de sal
½	cucharadita de pimienta
½	lechuga cortada en tiras
¼	repollo rojo cortado en tiras
12	tortillas de maíz

En un tazón mediano, mezcle los frijoles, el maíz, los chiles, la cebolla, los tomates, el cilantro, el jugo de lima, la sal y la pimienta. Rellene las tortillas con la mezcla de frijoles y cubra con lechuga y repollo rallado.

* Vea la página 76 para saber cómo cocinar los frijoles secos.

INFORMACIÓN DE NUTRICIÓN (en cada porción)
CALORÍAS 237; GRASA 2g; PROTEÍNA 10g; CARB. 47g; FIBRA 10g; CALCIO 43mg; HIERRO 2mg; VITAMINA A (RE) 56mcg; VITAMINA C 29mg; FOLATO 92mcg

NUTRITION TIP
This recipe can also be served on its own without tortillas as a delicious salad or side dish.

CONSEJO DE NUTRICIÓN
Esta receta también puede servirse sin tortillas como una deliciosa ensalada o acompañamiento.

YAM & BEAN BURRITO

2	large yams, peeled and cut into chunks
1	tablespoon plus 1 teaspoon vegetable oil, divided
½	onion, diced
1	(15-ounce) can black beans, rinsed and drained, or 2 cups cooked black beans *
½	teaspoon cumin
	salt and pepper to taste
8	whole wheat tortillas

Preheat oven to 375°F. In a large mixing bowl, toss yam chunks with 1 tablespoon oil. Spread coated yams on a baking sheet and roast in the oven for 20 minutes or until yams are tender. In a large skillet, heat 1 teaspoon oil over medium-high heat. Add diced onion and sauté until tender. Add beans, cumin, salt, and pepper to taste. Remove from heat and mix in cooked yam chunks, stirring gently. Spoon mixture into the center of each tortilla. Roll up the tortilla and serve.

* See page 76 for how to cook dry beans.

NUTRITIONAL INFORMATION (per serving)
CALORIES 220; FAT 3g; PROTEIN 8g; CARB. 47g; FIBER 8g; CALCIUM 34mg; IRON 2mg; VITAMIN A (RE) 8mcg; VITAMIN C 10mg; FOLATE 87mcg

BURRITO DE ÑAME Y FRIJOLES

2	ñames grandes, pelados y cortados en trozos
1	cucharada más 1 cucharadita de aceite vegetal, divididas
½	cebolla picada
1	lata (15 onzas) de frijoles negros, escurridos y enjuagados, o 2 tazas de frijoles negros cocidos*
½	cucharadita de comino
	sal y pimienta al gusto
8	tortillas de trigo integral

Precaliente el horno a 375°F. En un tazón grande, mezcle los trozos de ñame con 1 cucharada de aceite. Esparza los ñames recubiertos de aceite en una bandeja de hornear y áselos durante 20 minutos o hasta que estén suaves. En una sartén grande, caliente una cucharadita de aceite a fuego medio alto. Añada la cebolla picada y saltee hasta que esté suave. Añada los frijoles, el comino, la sal y la pimienta al gusto. Retire del fuego, añada los pedazos de ñame cocido y mezcle, revolviendo con cuidado. Con una cuchara, coloque la mezcla en el centro de cada tortilla. Enrolle las tortillas y sírvalas.

* Vea la página 76 para saber cómo cocinar los frijoles secos.

INFORMACIÓN DE NUTRICIÓN (en cada porción)
CALORÍAS 220; GRASA 3g; PROTEÍNA 8g; CARB. 47g; FIBRA 8g; CALCIO 34mg; HIERRO 2mg; VITAMINA A (RE) 8mcg; VITAMINA C 10mg; FOLATO 87mcg

NUTRITION TIP
Although yams are often confused with sweet potatoes, they are 2 distinct vegetables that can almost always be substituted with each other in recipes.

CONSEJO DE NUTRICIÓN
Aunque los ñames con frecuencia se confunden con los camotes, son dos verduras distintas que casi siempre pueden sustituirse entre ellas en las recetas.

BAKED TORTILLA CHIPS

12   corn tortillas
1   tablespoon canola oil
     salt to taste

Preheat oven to 350°F. Brush both sides of tortillas with oil. Stack tortillas and cut the piles into triangles. Spread triangles out in a single layer on two large baking sheets. Season with salt. Bake for 12-15 minutes or until golden brown and crisp, rotating the baking sheets once.

NUTRITIONAL INFORMATION (per serving)
CALORIES 62; FAT 1.9g; PROTEIN 1.4g; CARB. 11g; FIBER 1.5g; CALCIUM 0mg; IRON 0mg; VITAMIN A (RE) 0mcg; VITAMIN C 0mg; FOLATE 0mcg

TOTOPOS HORNEADOS

12   tortillas de maíz
1   cucharada de aceite de canola
     sal al gusto

Precaliente el horno a 350°F. Con ayuda de una brocha, unte ambos lados de las tortillas con aceite. Coloque las tortillas empalmadas y córtelas a la vez en triángulos. Esparza los triángulos en una capa sencilla en dos bandejas grandes para hornear. Condimente con sal. Hornee durante 12 a 15 minutos o hasta que estén doradas y crujientes; intercambie la posición de las bandejas de hornear una vez.

INFORMACIÓN DE NUTRICIÓN (en cada porción)
CALORÍAS 62; GRASA 1.9g; PROTEÍNA 1.4g; CARB. 11g; FIBRA 1.5g; CALCIO 0mg; HIERRO 0mg; VITAMINA A (RE) 0mcg; VITAMINA C 0mg; FOLATO 0mcg

NUTRITION TIP
Baking tortillas is a healthier and a lower fat alternative to eating fried chips. Try serving these baked chips with fresh salsa, guacamole, or a bean dip.

CONSEJO DE NUTRICIÓN
Hornear las tortillas es una alternativa más saludable y más baja en grasa que comer totopos fritos. Pruebe estos totopos horneados con salsa recién hecha, guacamole o un dip de frijoles.

BAKED CINNAMON CHIPS

12   corn tortillas
1   tablespoon butter, melted
1   tablespoon sugar
½   teaspoon cinnamon

Preheat oven to 350°F. Brush both sides of tortillas with butter. Stack tortillas and cut the pile into triangles. Spread triangles out in a single layer on two large baking sheets. Mix together sugar and cinnamon. Sprinkle over tortillas. Bake for 12-15 minutes or until golden brown and crisp, rotating the baking sheets once.

NUTRITIONAL INFORMATION (per serving)
CALORIES 65; FAT 2g; PROTEIN 1g; CARB. 12g; FIBER 2g; CALCIUM 3mg; IRON 0mg; VITAMIN A (RE) 0mcg; VITAMIN C 0mg; FOLATE 0mcg

NUTRITION TIP
Make a fruit salsa by dicing up your favorite fruit and tossing with a little orange or lime juice. Serve these cinnamon chips with a fruit salsa for a healthy lowfat dessert or snack.

CONSEJO DE NUTRICIÓN
Prepare una salsa de frutas cortando su fruta favorita y mezclándola con un poco de jugo de naranja o lima. Sirva estos totopos de canela con una salsa de frutas para disfrutar de un postre o un bocadillo saludable y bajo en grasa.

TOTOPOS HORNEADOS DE CANELA

12   tortillas de maíz
1   cucharada de mantequilla derretida
1   cucharada de azúcar
½   cucharadita de canela

Precaliente el horno a 350°F. Unte ambos lados de las tortillas con mantequilla. Coloque las tortillas empalmadas y córtelas a la vez en triángulos. Esparza los triángulos en una capa sencilla en dos bandejas grandes para hornear. Mezcle el azúcar con la canela y espolvoree las tortillas. Hornee durante 12 a 15 minutos o hasta que estén doradas y crujientes; intercambie la posición de las bandejas de hornear una vez.

INFORMACIÓN DE NUTRICIÓN (en cada porción)
CALORÍAS 65; GRASA 2g; PROTEÍNA 1g; CARB. 12g; FIBRA 2g; CALCIO 3mg; HIERRO 0mg; VITAMINA A (RE) 0mcg; VITAMINA C 0mg; FOLATO 0mcg

BANANA WRAP

1   whole wheat tortilla
1   tablespoon peanut butter
1   tablespoon strawberry or grape jelly
1   large banana, peeled

Spread peanut butter on one side of tortilla. Spread jelly over peanut butter. Place banana at edge of tortilla. Roll tortilla until banana is completely wrapped up. Serve with a side of fruit or vegetables and a glass of lowfat milk.

NUTRITIONAL INFORMATION (per serving)
CALORIES 344; FAT 9g; PROTEIN 8g; CARB. 68g; FIBER 6g; CALCIUM 17mg; IRON 1mg; VITAMIN A (RE) 8mcg; VITAMIN C 12mg; FOLATE 37mcg

ENVUELTO DE PLÁTANO

1   tortilla de trigo integral
1   cucharada de crema de cacahuate
1   cucharada de jalea de fresa o uva
1   plátano grande pelado

Unte un lado de la tortilla con crema de cacahuate. Esparza la jalea sobre la crema de cacahuate. Coloque el plátano en el borde de la tortilla. Enrolle la tortilla hasta que el plátano quede completamente envuelto. Sírvalo con una porción de frutas o verduras y un vaso de leche baja en grasa.

INFORMACIÓN DE NUTRICIÓN (en cada porción)
CALORÍAS 344; GRASA 9g; PROTEÍNA 8g; CARB. 68g; FIBRA 6g; CALCIO 17mg; HIERRO 1 mg; VITAMINA A (RE) 8mcg; VITAMINA C 12mg; FOLATO 37mcg

NUTRITION TIP
This fun wrap is loaded with fiber, easy to take on the go, and will keep your kids satisfied.

CONSEJO DE NUTRICIÓN
Este delicioso envuelto tiene un alto contenido de fibra, es fácil de empacar para llevar, y mantendrá satisfechos a sus niños.

BARLEY, BULGUR & OATS

Whole grains contain complex carbohydrates that give the body energy, B vitamins to help your body use the energy, protein for growth, and soluble fiber that helps reduce the "bad" LDL cholesterol, triglycerides, and total cholesterol. Below are some examples of whole grains:

- **Barley:** Hulled barley is a whole grain with the hull removed. Pearled barley has the hull, bran, and some of the inner layer removed. It has less fiber and nutrients, but is still a healthier choice over refined grains such as white pasta and white rice.
- **Bulgur** is a whole wheat that has been pre-cooked, dried, and ground into smaller pieces.
- **Steel cut oats** are whole grain oats that have been cut into two or three smaller pieces.
- **Rolled or old fashioned oats** are oats that have been steamed, rolled and flaked, reducing the cooking time to approximately 5 minutes.
- **Quick oats** are oats that have been cut into pieces and rolled even finer to cook faster, about 1 minute.

CEBADA, TRIGO BULGUR Y AVENA

Los granos enteros contienen carbohidratos complejos que dan energía al organismo, vitaminas B para ayudar al organismo a usar la energía, proteína para el crecimiento y fibra soluble que ayuda a reducir el colesterol LDL "malo", los triglicéridos y el colesterol total. A continuación hay algunos ejemplos de granos enteros:

- **Cebada:** La cebada mondada es un grano entero al que se le elimina la cáscara. A la cebada perlada se le elimina la cáscara, el salvado y algo de la capa interna. Tiene menos fibra y nutrientes, pero sigue siendo una elección más saludable que los granos refinados tales como las pastas blancas y el arroz blanco.
- **El trigo bulgur** es un trigo integral que ha sido precocido, secado y molido en pedazos más pequeños.
- **La avena integral cortada** (*steel cut oats*) son granos enteros de avena que se han cortado en dos o tres pedazos más pequeños.
- **La avena aplastada** (en copos) o **avena tradicional** es la avena que ha sido mondada, cocida al vapor y aplastada, lo que reduce el tiempo de cocción a aproximadamente 5 minutos.
- **La avena rápida** es la avena que se ha cortado en pedazos y aplastado en copos aún más finos para cocinarse más rápido, como en un minuto.

HOW TO COOK WHOLE GRAIN BARLEY

3 ½ cups water
1   cup dry whole grain barley

Rinse barley and bring 3 cups of water to a boil. Add 1 cup barley and return to a boil. Reduce heat and simmer, covered for about 40 minutes or until tender. Drain off any excess liquid. Makes about 3 cups.

NUTRITIONAL INFORMATION (per serving)
CALORIES 113; FAT 0.7g; PROTEIN 4g; CHO 23g; FIBER 5g; CALCIUM 16mg; IRON 0mg; VITAMIN A (RE) 0mcg; VITAMIN C 0mg; FOLATE 0mcg

CÓMO COCINAR LA CEBADA INTEGRAL

3 ½ tazas de agua
1   taza de cebada integral seca

Enjuague la cebada y ponga a hervir 3 tazas de agua. Añada 1 taza de cebada y deje que vuelva a hervir. Reduzca la temperatura, cubra y deje que se cocine a fuego lento durante 40 minutos o hasta que esté suave. Escurra el exceso de líquido. Rinde aproximadamente para 3 tazas.

INFORMACIÓN DE NUTRICIÓN (en cada porción)
CALORÍAS 113; GRASA 0.7g; PROTEÍNA 4g; CARB. 23g; FIBRA 5g; CALCIO 16mg; HIERRO 0mg; VITAMINA A (RE) 0mcg; VITAMINA C 0mg; FOLATO 0mcg

NUTRITION TIP
Cooked whole grain barley should be stored in an airtight container in the refrigerator or freezer for up to one week.

CONSEJO DE NUTRICIÓN
La cebada integral cocinada debe almacenarse en recipientes herméticos en el refrigerador o congelador hasta por una semana.

HOW TO COOK BULGUR

1 ½   cups water
1   cup dry bulgur

In a large saucepan, bring water and bulgur to a boil. Stir, turn off heat and cover with lid. Let bulgur sit for 10 minutes. Drain excess water. Makes about 3 cups.

NUTRITIONAL INFORMATION (per serving)
CALORIES 80; FAT 0g; PROTEIN 3g; CARB. 18g; FIBER 4g; CALCIUM 9mg; IRON 0.6mg; VITAMIN A (RE) 0mcg; VITAMIN C 0mg; FOLATE 6mcg

CÓMO COCINAR EL TRIGO BULGUR

1 ½   tazas de agua
1   taza de trigo bulgur seco

En una cacerola grande, ponga el agua y el trigo a hervir. Revuelva, apague el fuego y cubra con una tapa. Deje que el trigo repose durante 10 minutos. Escurra el exceso de agua. Rinde aproximadamente para 3 tazas.

INFORMACIÓN DE NUTRICIÓN (en cada porción)
CALORÍAS 80; GRASA 0g; PROTEÍNA 3g; CARB. 18g; FIBRA 4g; CALCIO 9mg; HIERRO 0mg; VITAMINA A (RE) 0mcg; VITAMINA C 0mg; FOLATO 6mcg

NUTRITION TIP
Store dry bulgur in an airtight container in the refrigerator for up to six months. Bulgur contains some of its natural oils and will go bad if stored in warm areas of the kitchen.

CONSEJO DE NUTRICIÓN
Almacene el trigo bulgur seco en un recipiente hermético en el refrigerador hasta por seis meses. El trigo bulgur contiene algunos de sus aceites naturales y se echará a perder si se almacena en lugares calientes de la cocina.

HOW TO COOK STEEL CUT OATS

4 cups water
1 cup dry steel cut oats

Bring water to a boil in a saucepan. Add oats. Reduce heat to a simmer, covered for 30 minutes or until thickened and tender, stirring occasionally. Makes about 4 cups

NUTRITIONAL INFORMATION (per serving)
CALORIES 74; FAT 1g; PROTEIN 3g; CARB. 14g; FIBER 2g; CALCIUM 12mg; IRON 1mg; VITAMIN A (RE) 0mcg; VITAMIN C 0mg; FOLATE 10mcg

CÓMO COCINAR LA AVENA INTEGRAL CORTADA (*STEEL CUT OATS*)

4   tazas de agua
1   taza de avena integral cortada seca

Ponga el agua a hervir en una cacerola mediana. Añada la avena. Reduzca la temperatura a fuego lento, cubra y cocine durante 30 minutos o hasta que esté espesa y suave, revolviendo de vez en cuando. Rinde aproximadamente para 4 tazas.

INFORMACIÓN DE NUTRICIÓN (en cada porción)
CALORÍAS 74; GRASA 1g; PROTEÍNA 3g; CARB. 14g; FIBRA 2g; CALCIO 12mg; HIERRO 1mg; VITAMINA A (RE) 0mcg; VITAMINA C 0mg; FOLATO 10mcg

NUTRITION TIP
Cook oats in lowfat 1% milk instead of water for a nutritional boost of calcium.

CONSEJO DE NUTRICIÓN
Cocine la avena con leche con 1% de grasa en lugar de agua para brindarle más valor nutritivo de calcio.

BARLEY CHILI

1   tablespoon olive oil
6   cloves garlic, chopped
1   onion, chopped
1   green bell pepper, chopped
1   (15-ounce) can diced tomatoes, undrained
1   jalapeño, seeded and minced
½   teaspoon cumin
½   teaspoon chili powder
1   cup cooked barley *
1   (15-ounce) can kidney beans, drained and
    rinsed, or 2 cups cooked kidney beans *
    salt and pepper to taste

In a large skillet, heat olive oil over medium heat. Add garlic, onions, and bell pepper. Sauté until tender. Add tomatoes, jalapeño, cumin, and chili powder. Cover and simmer for 15 minutes. Remove lid, add barley and kidney beans and simmer for an additional 10 minutes. Season with salt and pepper to taste.

* See pages 60 & 76 for how to cook whole grain barley and dry beans.

NUTRITIONAL INFORMATION (per serving)
CALORIES 200; FAT 4.5g; PROTEIN 12g; CARBS. 14g; FIBER 14g; CALCIUM 82mg; IRON 0.9mg; VITAMIN A (RE) 45mcg; VITAMIN C 54mg; FOLATE 86mcg

CHILI DE CEBADA

1   cucharada de aceite de oliva
6   dientes de ajo picados
1   cebolla picada
1   pimiento morrón verde picado
1   lata (15 onzas) de tomates en cubitos, sin
    escurrir
1   chile jalapeño, sin semillas y picado
½   cucharadita de comino
½   cucharadita de chile en polvo
1   taza de cebada cocida*
1   lata (15 onzas) de frijoles rojos, escurridos
    y enjuagados, o 2 tazas de frijoles rojos
    cocidos*
    sal y pimienta al gusto

En una sartén grande, caliente el aceite de oliva a fuego medio. Añada el ajo, la cebolla y el pimiento morrón. Saltee hasta que estén suaves. Añada los tomates, el jalapeño, el comino y el chile en polvo. Cubra y deje que se cocine a fuego lento durante 15 minutos. Quite la tapa, añada la cebada y los frijoles rojos y cocine a fuego lento durante 10 minutos adicionales. Condimente con sal y pimienta al gusto.

* Vea las páginas 60 y 76 para saber cómo cocinar la cebada integral y los frijoles secos.

INFORMACIÓN DE NUTRICIÓN (en cada porción)
CALORÍAS 200; GRASA 4.5g; PROTEÍNA 12g; CARB. 14g; FIBRA 14g; CALCIO 82mg; HIERRO 0.9mg; VITAMINA A (RE) 45mcg; VITAMINA C 54mg; FOLATO 86mcg

NUTRITION TIP
Barley usually can be found next to the beans and lentils at the grocery store. If you cannot find barley, go ahead and substitute any recipe with brown rice or bulgur.

CONSEJO DE NUTRICIÓN
Generalmente se puede encontrar la cebada junto a los frijoles y las lentejas en la tienda de comestibles. Si no encuentra cebada, sustituya cualquier receta con arroz integral o trigo bulgur.

OATCAKES

1   cup whole wheat or all purpose flour
3   tablespoons sugar
1   teaspoon baking powder
½   teaspoon baking soda
½   teaspoon salt
1   cup cooked steel cut oats *
1   egg, beaten
½   cup nonfat yogurt
½   cup nonfat milk
3   tablespoons canola oil
½   teaspoon vanilla extract
    cooking spray

In a medium bowl, mix together flour, sugar, baking powder, baking soda, and salt. Set aside. In a large bowl, stir together oats, egg, yogurt, milk, oil, and vanilla extract. Add dry ingredients to wet, mixing until slightly lumpy. Grease a skillet with cooking spray and preheat over medium-high heat. Ladle about a ¼ cup of batter onto the hot skillet. Cook until edges become dry and bubbles begin to form in the center, about 3 minutes. Flip and cook other side until golden and puffed, about another 2 minutes. Remove to a platter and keep warm in a low oven if needed. Continue until all batter is used.

* See page 62 for how to cook steel cut oats.

NUTRITIONAL INFORMATION (per serving)
CALORIES 312; FAT 13g; PROTEIN 9.4g; CARB. 42g; FIBER 4.5g; CALCIUM 151mg; IRON 2mg; VITAMIN A (RE) 55mcg; VITAMIN C 2mg; FOLATE 24mcg

HOT CAKES DE AVENA

1   taza de harina de trigo integral o de multiuso
3   cucharadas de azúcar
1   cucharadita de polvo para hornear
½   cucharadita de bicarbonato de soda
½   cucharadita de sal
1   taza de avena integral cortada, cocida*
1   huevo batido
½   taza de yogur descremado
½   taza de leche descremada
3   cucharadas de aceite de canola
½   cucharadita de extracto de vainilla
    aceite vegetal en rociador

En un tazón mediano, mezcle la harina, el azúcar, el polvo para hornear, el bicarbonato de sodio y la sal. Apártelos. En un tazón grande, mezcle la avena, el huevo, el yogur, la leche, el aceite y el extracto de vainilla. Añada los ingredientes secos a la mezcla húmeda y revuelva hasta que esté levemente grumosa. Rocíe una sartén con aceite vegetal y precaliéntela a fuego medio alto. Vierta con un cucharón aproximadamente ¼ de taza de la masa en la sartén caliente. Cocine hasta que los bordes estén secos y comiencen a formarse burbujas en el centro, aproximadamente 3 minutos. Voltee y cocine el otro lado hasta que esté dorado e inflado, aproximadamente 2 minutos. Retire y coloque en un plato y manténgalo caliente en un horno a baja temperatura, de ser necesario. Continúe haciendo lo mismo con toda la masa.

* Vea la página 62 para saber cómo cocinar la avena integral cortada (steel cut oats).

INFORMACIÓN DE NUTRICIÓN (en cada porción)
CALORÍAS 312; GRASA 13g; PROTEÍNA 9.4g; CARB. 42g; FIBRA 4.5g; CALCIO 151mg; HIERRO 2mg; VITAMINA A (RE) 55mcg; VITAMINA C 2mg; FOLATO 24mcg

NUTRITION TIP
Milk is important for strong teeth and bones, muscle growth, and healthy blood pressure.

CONSEJO DE NUTRICIÓN
La leche es importante para tener dientes y huesos fuertes, para el desarrollo de los músculos y para tener una presión sanguínea saludable.

BULGUR SALAD

½   cup water
¼   cup dry bulgur
1   cup parsley, minced
1   cup tomatoes, chopped
4   green onions, minced
½   cup cucumber, chopped
2   teaspoons mint, minced
1   teaspoon olive oil
1   teaspoon lemon juice
    salt and pepper to taste

In a small saucepan, bring water and bulgur to a boil. Stir, turn off heat, and cover with a lid. Let bulgur sit for 10 minutes. Drain excess water. Transfer to a bowl and allow to cool in refrigerator. In a large bowl, combine parsley, tomatoes, green onions, cucumber, and mint. In a separate smaller bowl, whisk together olive oil and lemon juice and toss with vegetables. Add chilled bulgur and toss well to mix. Season with salt and pepper. Serve chilled or at room temperature.

NUTRITIONAL INFORMATION (per serving)
CALORIES 62; FAT 1.5g; PROTEIN 2g; CARB. 11g; FIBER 3g; CALCIUM 42mg; IRON 1.7mg; VITAMIN A (RE) 175mcg; VITAMIN C 36 mg; FOLATE 45mcg

NUTRITION TIP
Bulgur and brown rice are interchangeable in most recipes. But remember, 1 cup of bulgur has fewer calories, less fat, and more than twice the fiber of brown rice!

CONSEJO DE NUTRICIÓN
El trigo bulgur y el arroz integral pueden intercambiarse en la mayoría de las recetas. Pero recuerde que 1 taza de trigo bulgur tiene menos calorías, menos grasa y más del doble de fibra que el arroz integral.

ENSALADA DE TRIGO BULGUR

½   taza de agua
¼   taza de trigo bulgur seco
1   taza de perejil picado
1   taza de tomates picados
4   cebolletas picadas
½   taza de pepino picado
2   cucharaditas de menta picada
1   cucharadita de aceite de oliva
1   cucharadita de jugo de limón
    sal y pimienta al gusto

En una cacerola pequeña, ponga el agua y el trigo a hervir. Revuelva, apague el fuego y cubra con una tapa. Deje que el trigo repose durante 10 minutos. Escurra el exceso de agua. Pase el trigo a un tazón y deje que se enfríe en el refrigerador. En un tazón grande mezcle el perejil, los tomates, las cebolletas, el pepino y la menta. En un tazón más pequeño bata el aceite de oliva y el jugo de limón y viértalo sobre las verduras. Añada el trigo frío y mézclelo bien. Condimente con sal y pimienta. Sirva la ensalada fría o a temperatura ambiente.

INFORMACIÓN DE NUTRICIÓN (en cada porción)
CALORÍAS 62; GRASA 1.5g; PROTEÍNA 2g; CARB. 11g; FIBRA 3g; CALCIO 42mg; HIERRO 1.7mg; VITAMINA A (RE) 175mcg; VITAMINA C 36mg; FOLATO 45mcg

BULGUR SHILA

3   cups water
2   cups dry bulgur
1   tablespoon olive oil
1   onion, chopped
2   cloves garlic, minced
½   pound or 2 (4-ounce) chicken breast,
    cooked, and shredded
    salt and pepper to taste

In a large saucepan, bring water and bulgur to a boil. Stir, turn off heat, and cover with a lid. Let bulgur sit for 10 minutes. Drain excess water and set aside. Meanwhile, sauté onions and garlic in olive oil until tender. Add onion mixture to bulgur. Mix in chicken and season with salt and pepper. Serve hot.

NUTRITIONAL INFORMATION (per serving)
CALORIES 341; FAT 6g; PROTEIN 21g; CARB. 55g; FIBER 13g; CALCIUM 33mg; IRON 3mg; VITAMIN A (RE) 0.7mcg; VITAMIN C 0.9mg; FOLATE 20mcg

TRIGO BULGUR SHILA

3   tazas de agua
2   tazas de trigo bulgur seco
1   cucharada de aceite de oliva
1   cebolla picada
2   dientes de ajo picados
½   libra o 2 pechugas (4 onzas) de pollo,
    cocido y desmenuzado
    sal y pimienta al gusto

En una cacerola grande, ponga el agua y el trigo a hervir. Revuelva, apague el fuego y cubra con una tapa. Deje que el trigo repose durante 10 minutos. Escurra el exceso de agua y aparte el trigo. Mientras tanto, saltee las cebollas y el ajo en aceite de oliva hasta que estén suaves. Añada la mezcla de las cebollas al trigo. Añada el pollo, mezcle y condimente con sal y pimienta. Sírvalo caliente.

INFORMACIÓN DE NUTRICIÓN (en cada porción)
CALORÍAS 341; GRASA 6g; PROTEÍNA 21g; CARB. 55g; FIBRA 13g; CALCIO 33mg; HIERRO 3mg; VITAMINA A (RE) 0.7mcg; VITAMINA C 0.9mg; FOLATO 20mcg

NUTRITION TIP
Bulgur is high in fiber, low in fat, and rich in B vitamins, iron, phosphorus, and manganese. Try adding a variety of vegetables such as spinach, asparagus, or broccoli to add extra folate to your meal!

CONSEJO DE NUTRICIÓN
El trigo bulgur tiene un alto contenido de fibra, es bajo en grasa y rico en vitaminas B, hierro, fósforo y manganeso. Añada una variedad de verduras, tales como espinacas, espárragos o brócoli para obtener más folato en sus alimentos.

BULGUR SALAD WITH ROASTED PEPPERS

1 cup water
2 cups orange juice
2 cups dry bulgur
¼ cup olive oil
1 tablespoon white wine vinegar
½ cup pine nuts, toasted (optional)
1 red bell pepper, roasted and diced
1 yellow bell pepper, roasted and diced
1 orange bell pepper, roasted and diced
1 medium cucumber, seeded and diced
1 large tomato, seeded and chopped
¼ cup basil, finely chopped
¼ cup mint, finely chopped
  salt and pepper to taste

In a large saucepan, bring water, orange juice, and bulgur to a boil. Stir, turn off heat, and cover with lid. Let bulgur sit for 10 minutes. Drain excess water and set bulgur aside. In a large bowl, whisk together oil and vinegar. Add bulgur, pine nuts, peppers, cucumber, tomatoes, basil, and mint. Toss well. Season with salt and pepper.

NUTRITIONAL INFORMATION (per serving)
CALORIES 230; FAT 10.6g; PROTEIN 5.6g; CARB. 32g; FIBER 6g; CALCIUM 34mg; IRON 1.7mg; VITAMIN A (RE) 119mcg; VITAMIN C 91mg; FOLATE 47mcg

ENSALADA DE TRIGO BULGUR CON PIMIENTOS ASADOS

1 taza de agua
2 tazas de jugo de naranja
2 tazas de trigo bulgur seco
¼ taza de aceite de oliva
1 cucharada de vinagre de vino blanco
½ taza de piñones tostados (opcional)
1 pimiento morrón rojo, asado y en cubitos
1 pimiento morrón amarillo, asado y en cubitos
1 pimiento morrón anaranjado, asado y en cubitos
1 pepino mediano, sin semillas y cortado en cubitos
1 tomate grande, sin semillas y picado
¼ taza de albahaca finamente picada
¼ taza de menta finamente picada
  sal y pimienta al gusto

En una cacerola grande, ponga el agua, jugo de naranja y trigo bulgur a hervir. Revuelva, apague el fuego y cubra la cacerola con una tapa. Deje que el trigo repose durante 10 minutos. Escurra el exceso de agua y aparte el trigo. En un tazón grande, mezcle batiendo el aceite y el vinagre. Añada el trigo bulgur, los piñones, los pimientos morrones, el pepino, los tomates, la albahaca y la menta. Mezcle todo bien. Condimente con sal y pimienta.

INFORMACIÓN DE NUTRICIÓN (en cada porción)
CALORÍAS 230; GRASA 10.6g; PROTEÍNA 5.6g; CARB. 32g; FIBRA 6g; CALCIO 34mg; HIERRO 1.7mg; VITAMINA A (RE) 119mcg; VITAMINA C 91mg; FOLATO 47mcg

NUTRITION TIP
To roast bell peppers, cut in half and remove stem, ribs and seeds. Lay peppers cut side down on a baking sheet. Roast under a broiler until the skin is charred. Place in a closed paper bag until cool. Rub off the charred skin.

CONSEJO DE NUTRICIÓN
Para asar los pimientos morrones, córtelos por la mitad y quite el rabo, las venas y las semillas. Coloque los pimientos con el lado cortado hacia abajo en una bandeja de hornear. Áselos bajo el asador hasta que la piel esté achicharrada. Colóquelos en una bolsa de papel cerrada hasta que se enfríen. Despeleje la piel quemada.

ALBÓNDIGAS VEGETARIANAS

1 ½ tazas de agua
1 taza de trigo bulgur seco
1 huevo batido
½ taza de harina de multiuso
½ taza de garbanzos cocidos y molidos
1 zanahoria, pelada y rallada
3 cebolletas finamente picadas
1 cucharadita de salsa de soya
½ cucharadita de ajo en polvo
1 cucharada de aceite de oliva

En una cacerola grande, ponga el agua y el trigo a hervir. Revuelva, apague el fuego y cubra con una tapa. Deje que el trigo repose durante 10 minutos. Escurra el exceso de agua. Mezcle con el trigo cocido, el huevo, la harina, los garbanzos, la zanahoria, las cebolletas, la salsa de soya y el ajo en polvo. Forme bolas de 1 pulgada con la mezcla. En una sartén, caliente el aceite a fuego medio. Cocine las albóndigas, volteándolas con frecuencia, hasta que estén doradas por todas partes. Retírelas de la sartén y colóquelas en toallas de papel para escurrir el exceso de aceite.

INFORMACIÓN DE NUTRICIÓN (en cada porción)
CALORÍAS 175; GRASA 4g; PROTEÍNA 6g; CARB. 30g; FIBRA 6g; CALCIO 31mg; HIERRO 1.5mg; VITAMINA A (RE) 244mcg; VITAMINA C 2.4mg; FOLATO 28mcg

MEATLESS MEATBALLS

1 ½ cups water
1 cup dry bulgur
1 egg, beaten
½ cup all purpose flour
½ cup cooked garbanzo beans, mashed
1 carrot, peeled and grated
3 green onions, finely chopped
1 teaspoon soy sauce
½ teaspoon garlic powder
1 tablespoon olive oil

In a large saucepan, bring water and bulgur to a boil. Stir, turn off heat, and cover with a lid. Let bulgur sit for 10 minutes. Drain excess water. Mix together cooked bulgur, egg, flour, beans, carrots, green onions, soy sauce, and garlic powder. Form mixture into 1-inch balls. In a fry pan, heat oil over medium heat. Cook meatballs, turning every few minutes, until brown on all sides. Remove from pan and place on a paper towel to drain excess oil.

NUTRITIONAL INFORMATION (per serving)
CALORIES 175; FAT 4g; PROTEIN 6g; CARB. 30g; FIBER 6g; CALCIUM 31mg; IRON 1.5mg; VITAMIN A (RE) 244mcg; VITAMIN C 2.4mg; FOLATE 28mcg

NUTRITION TIP
Bulgur is high in fiber and protein, and low in fat and calories. It is an ideal choice to add to your soups, salads, pilaf, or stuffing.

CONSEJO DE NUTRICIÓN
El trigo bulgur tiene un alto contenido de fibra y proteína, y es bajo en grasa y calorías. Es ideal para añadirla a las sopas, las ensaladas, al arroz o a los rellenos.

BARLEY SALAD WITH PARSLEY & WALNUTS

3 ½ cups water
1 cup dry whole grain barley, or 3 cups cooked barley *
3 tablespoons lemon juice
1/3 cup olive oil
1 clove garlic, minced
½ teaspoon lemon zest, finely grated
salt and pepper to taste
1 cup walnuts, toasted and chopped
1 cup flat-leaf parsley leaves, chopped
1 cup feta cheese, crumbled

Rinse barley with water using a strainer to remove any debris. In a medium saucepan, bring water to a boil. Add barley and return to boil. Reduce heat and simmer, covered for 40 minutes or until tender. Drain off any excess liquid. In a large bowl, whisk together lemon juice, olive oil, garlic, and lemon zest. Season with salt and pepper. Add cooked barley, walnuts, parsley, and feta cheese. Toss gently.

* See page 60 for how to cook whole grain barley.

NUTRITIONAL INFORMATION (per serving)
CALORIES 403; FAT 28.7g; PROTEIN 10.7g; CARB. 28g; FIBER 7.7g; CALCIUM 119mg; IRON 1.5mg; VITAMIN A (RE) 111mcg; VITAMIN C 17mg; FOLATE 36mcg

ENSALADA DE CEBADA CON PEREJIL Y NUECES DE CASTILLA

3 ½ tazas de agua
1 taza de cebada integral seca, o 3 tazas de cebada cocida*
3 cucharadas de jugo de limón
1/3 taza de aceite de oliva
1 diente de ajo picado
½ cucharadita de cáscara de limón finamente rallada
sal y pimienta al gusto
1 taza de nueces de Castilla, tostadas y picadas
1 taza de hojas de perejil italiano picado
1 taza de queso feta desmoronado

Enjuague la cebada con agua usando un colador para eliminar cualquier suciedad. En una cacerola mediana, ponga el agua a hervir. Añada la cebada y deje que vuelva a hervir. Reduzca la temperatura, cubra y deje que se cocine a fuego lento durante 40 minutos o hasta que esté suave. Escurra el exceso de líquido. En un tazón grande, mezcle el jugo de limón, el aceite de oliva, el ajo y la cáscara rallada de limón. Condimente con sal y pimienta. Añada la cebada cocida, las nueces, el perejil y el queso feta. Mezcle cuidadosamente.

* Vea la página 60 para saber cómo cocinar la cebada integral.

INFORMACIÓN DE NUTRICIÓN (en cada porción)
CALORÍAS 403; GRASA 28.7g; PROTEÍNA 10.7g; CARB. 28g; FIBRA 7.7g; CALCIO 119mg; HIERRO 1.5mg; VITAMINA A (RE) 111mcg; VITAMINA C 17mg; FOLATO 36mcg

NUTRITION TIP
Barley is packed with fiber, contains important vitamins and minerals, such as niacin, thiamine, iron, and magnesium, is low in fat, and, like all plant foods, cholesterol free.

CONSEJO DE NUTRICIÓN
La cebada está llena de fibra, contiene vitaminas y minerales importantes, tales como niacina, tiamina, hierro y magnesio, es baja en grasa y, al igual que todos los alimentos vegetales, no contiene colesterol.

BEANS, PEAS & LENTILS

Beans are a healthy food. They provide:
- Fiber which helps with digestion, lowers cholesterol, and fills you up faster.
- Iron which helps prevent iron-deficient anemia and builds strong blood.
- Protein which helps with the body's growth and development.

FRIJOLES, CHÍCHAROS Y LENTEJAS

Los frijoles son un alimento saludable. Proporcionan:
- Fibra, la cual ayuda con la digestión, baja el colesterol y lo satisface más rápido.
- Hierro, el cual ayuda a evitar la anemia por deficiencia de hierro y fortalece la sangre.
- Proteína, la cual ayuda al crecimiento y desarrollo del cuerpo.

HOW TO COOK DRY BEANS

3 cups water
1 cup dry beans

Rinse beans with water using a strainer to remove any debris. Soak overnight in enough water to cover the beans. Discard water in the morning. In a medium saucepan, bring 3 cups water and beans to a boil. Reduce heat and simmer, covered until tender.

- 1 (16 ounce) can of beans = 2 cups cooked beans
- 1 cup dry beans makes 3 cups cooked beans
- 1 pound of dry beans makes 6 cups cooked beans

NUTRITIONAL INFORMATION (per serving)
CALORIES 153; FAT 0g; PROTEIN 11g; CARB. 28g; FIBER 11g; CALCIUM 69mg; IRON 4mg; VITAMIN A (RE) 0mcg; VITAMIN C 2mg; FOLATE 181mcg

CÓMO COCINAR FRIJOLES SECOS

3   tazas de agua
1   taza de frijoles secos

Enjuague los frijoles con agua usando un colador para eliminar cualquier suciedad. Remójelos durante toda la noche en agua que cubra todos los frijoles. Deseche el agua por la mañana. En una cacerola mediana, ponga 3 tazas de agua y los frijoles a hervir. Reduzca la temperatura, cubra y cocine a fuego lento hasta que estén suaves.

- 1 lata (16 onzas) de frijoles = 2 tazas de frijoles cocidos
- 1 taza de frijoles secos produce 3 tazas de frijoles cocidos
- 1 libra de frijoles secos produce 6 tazas de frijoles cocidos

INFORMACIÓN DE NUTRICIÓN (en cada porción)
CALORÍAS 153; GRASA 0g; PROTEÍNA 11g; CARB. 28g; FIBRA 11g; CALCIO 69mg; HIERRO 4mg; VITAMINA A (RE) 0mcg; VITAMINA C 2mg; FOLATO 181mcg

NUTRITION TIP
Soaking is not an essential step in cooking beans. The purpose of soaking is to rehydrate the bean, reducing the cooking time. Unsoaked beans take longer to cook.

CONSEJO DE NUTRICIÓN
No es esencial remojar los frijoles para cocerlos. La finalidad de remojarlos es para volver a hidratarlos, y reducir el tiempo de cocción. Los frijoles que no se remojan se tardan más en cocerse.

TOMATO AND GARBANZO BEAN SALSA

2   large tomatoes
1   teaspoon olive oil
     salt and pepper to taste
3   cloves garlic, roasted and minced
1   (15-ounce) can garbanzo beans, rinsed
     and drained, or 2 cups cooked garbanzo
     beans*
½   cup kalamata olives, pitted and chopped
1   tablespoon fresh thyme, minced
1   tablespoon balsamic vinegar
1   teaspoon fresh chives, minced

Preheat oven to 350°F. Cut tomatoes in half.
Place cut-side up on a baking dish. Drizzle
with olive oil and season with salt and pepper.
Bake for 5 minutes or until tender. Remove
from oven, set aside and when cool, coarsely
chop. In a large bowl, combine the tomatoes,
garlic, garbanzo beans, olives, thyme, and
balsamic vinegar. Stir to mix and season with
salt and pepper. Let sit for 20 minutes to allow
flavors to blend. Stir in chives and serve.

* See page 76 for how to cook dry beans.

NUTRITIONAL INFORMATION (per serving)
CALORIES 97; FAT 5g; PROTEIN 3g; CARB. 10g; FIBER 2g;
CALCIUM 30mg; IRON 0mg; VITAMIN A (RE) 41mcg; VITAMIN
C 6mg; FOLATE 7mcg

SALSA DE TOMATE Y GARBANZOS

2   tomates grandes
1   cucharadita de aceite de oliva
     sal y pimienta al gusto
3   dientes de ajo, asados y picados
1   lata (15 onzas) de garbanzos, escurridos y
     enjuagados, o 2 tazas de garbanzos
     cocidos*
½   taza de aceitunas kalamata, sin hueso y
     picadas
1   cucharada de tomillo fresco y picado
1   cucharada de vinagre balsámico
1   cucharadita de cebollina fresca y picada

Precaliente el horno a 350°F. Corte los tomates
por la mitad. Colóquelos con el lado cortado
hacia arriba en un molde de hornear. Salpique
con aceite de oliva y condimente con sal
y pimienta. Hornee durante 5 minutos o
hasta que estén suaves. Sáquelos del horno,
apártelos y cuando estén fríos, corte en trozos
grandes. En un tazón grande, mezcle los
tomates, el ajo, los garbanzos, las aceitunas, el
tomillo y el vinagre balsámico. Revuelva para
mezclar y condimente con sal y pimienta. Deje
que repose 20 minutos para que los sabores se
mezclen. Añada la cebollina, mezcle y sirva.

* Vea la página 76 para saber cómo cocinar los frijoles secos.

INFORMACIÓN DE NUTRICIÓN (en cada porción)
CALORÍAS 97; GRASA 5g; PROTEÍNA 3g; CARB. 10g; FIBRA
2 g; CALCIO 30mg; HIERRO 0mg; VITAMINA A (RE) 41mcg;
VITAMINA C 6mg; FOLATO 7mcg

NUTRITION TIP
Roasting garlic cloves is simple: preheat oven to
350°F. Peel single cloves of garlic and place on
aluminum foil. Season with salt and wrap in the foil.
Roast in the oven for 45-60 minutes or until very soft.

CONSEJO DE NUTRICIÓN
Asar los dientes de ajo es sencillo: precaliente el
horno a 350°F. Pele los dientes de ajo y colóquelos en
papel aluminio. Condimente con sal y envuélvalos en
el papel aluminio. Ase en el horno durante 45 a 60
minutos o hasta que estén muy suaves.

SPINACH & WHITE BEAN DIP

2	tablespoons olive oil, divided
2	cloves garlic, minced
2	(6-ounce) bags baby spinach
1	(15-ounce) can white beans, drained and rinsed, or 2 cups cooked white beans *
1 ½	tablespoons lemon juice
1	tablespoon balsamic vinegar
1	teaspoon salt
¼	teaspoon black pepper

In a large skillet, heat 1 tablespoon of oil over medium heat. Add garlic and cook until fragrant, about 1 minute. Add spinach and cook for 2 minutes until wilted. Let the mixture cool for a few minutes. Place remaining oil, spinach mixture, white beans, lemon juice, balsamic vinegar, salt, and pepper in the bowl of a food processor. Blend until the mixture is smooth. Transfer to a small serving bowl. Serve with cut vegetables or pita chips.

* See page 76 for how to cook dry beans.

NUTRITIONAL INFORMATION (per serving)
CALORIES 134; FAT 5g; PROTEIN 6g; CARB. 18g; FIBER 4g; CALCIUM 83mg; IRON 3mg; VITAMIN A (RE) 266mcg; VITAMIN C 10mg; FOLATE 102mcg

DIP DE ESPINACAS Y FRIJOLES BLANCOS

2	cucharadas de aceite de oliva, divididas
2	dientes de ajo picados
2	bolsas (6 onzas) de espinacas tiernas
1	lata (15 onzas) de frijoles blancos, escurridos y enjuagados, o 2 tazas de frijoles blancos cocidos*
1 ½	cucharadas de jugo de limón
1	cucharada de vinagre balsámico
1	cucharadita de sal
¼	cucharadita de pimienta negra

En una sartén grande, caliente una cucharada de aceite a fuego medio. Añada el ajo y cocine hasta que esté aromático, aproximadamente un minuto. Añada las espinacas y cocine durante 2 minutos hasta que estén suaves. Deje que se enfríe la mezcla durante unos cuantos minutos. Coloque el resto del aceite, la mezcla de las espinacas, los frijoles blancos, el jugo de limón, el vinagre balsámico, la sal y la pimienta en el tazón del procesador de alimentos. Procese hasta que la mezcla esté homogénea. Pásela a un pequeño tazón de servir. Sirva con verduras cortadas o en totopos de pita.

* Vea la página 76 para saber cómo cocinar los frijoles secos.

INFORMACIÓN DE NUTRICIÓN (en cada porción)
CALORÍAS 134; GRASA 5g; PROTEÍNA 6g; CARB. 18g; FIBRA 4 g; CALCIO 83mg; HIERRO 3mg; VITAMINA A (RE) 266mcg; VITAMINA C 10mg; FOLATO 102mcg

NUTRITION TIP
Use this dip as a spread instead of mayonnaise on sandwiches.

CONSEJO DE NUTRICIÓN
Use este dip en lugar de mayonesa para untar en los sándwiches.

BLACK BEAN AND AVOCADO SALAD

1   (16-ounce) can black beans, drained and
     rinsed, or 2 cups cooked black beans *
2   medium carrots, diced
2   medium tomatoes, diced
½   medium red onion, diced
1   avocado, diced
1   tablespoon olive oil
     salt and pepper to taste

In a large bowl, combine beans, carrots,
tomatoes, red onion, and avocado. Toss with
olive oil and season with salt and pepper to
taste. Serve chilled.

* See page 76 for how to cook dry beans.

NUTRITIONAL INFORMATION (per serving)
CALORIES 171; FAT 7g; PROTEIN 6g; CARB. 22g; FIBER
8g; CALCIUM 35mg; IRON 1.5mg; VITAMIN A (RE) 488mcg;
VITAMIN C 13mg; FOLATE 105mcg

NUTRITION TIP
Avocados have nearly 20 vitamins, minerals,
phytonutrients, and healthy fats. Try adding
avocado to foods like salads, salsa, or sandwiches.

CONSEJO DE NUTRICIÓN
Los aguacates tienen casi 20 vitaminas, minerales,
fitonutrientes y grasas saludables. Añada aguacate
a comidas como ensaladas, salsa o emparedados.

ENSALADA DE FRIJOLES NEGROS Y AGUACATE

1   lata (16 onzas) de frijoles negros,
     escurridos y enjuagados, o 2 tazas de
     frijoles negros cocidos*
2   zanahorias medianas en cubitos
2   tomates medianos en cubitos
½   cebolla roja mediana en cubitos
1   aguacate en cubitos
1   cucharada de aceite de oliva
     sal y pimienta al gusto

En un tazón grande mezcle los frijoles, las
zanahorias, los tomates, la cebolla roja y
el aguacate. Mezcle con aceite de oliva y
condimente con sal y pimienta al gusto.
Sírvala fría.

* Vea la página 76 para saber cómo cocinar los frijoles secos.

INFORMACIÓN DE NUTRICIÓN (en cada porción)
CALORÍAS 171; GRASA 7g; PROTEÍNA 6g; CARB. 22g; FIBRA
8 g; CALCIO 35mg; HIERRO 1.5mg; VITAMINA A (RE) 488mcg;
VITAMINA C 13mg; FOLATO 105mcg

SPLIT PEA SOUP

SERVES
6
PORCIONES

1　tablespoon olive oil
1　large carrot, chopped
1　large celery stalk, chopped
½　medium onion, chopped
1　bay leaf
6-8　cups fat-free chicken broth
1　pound dry split peas
　　salt and pepper to taste

In a large saucepan, heat oil over medium heat. Add carrots, celery, onions, and bay leaf and sauté for 5 minutes. Add broth and split peas. Bring to a boil over high heat. Lower heat and simmer until peas are tender, about 1 hour. Purée ⅔ of soup in a blender and then stir back into pot. Season with salt and pepper. If soup is too thick, thin it by adding extra broth and bring to a boil for additional 20 seconds.

NUTRITIONAL INFORMATION (per serving)
CALORIES 330; FAT 3g; PROTEIN 27g; CARB. 48g; FIBER 20g; CALCIUM 81mg; IRON 6mg; VITAMIN A (RE) 242mcg; VITAMIN C 5mg; FOLATE 213mcg

SOPA DE CHÍCHAROS

1　cucharada de aceite de oliva
1　zanahoria grande picada
1　tallo grande de apio picado
½　cebolla mediana picada
1　hoja de laurel
6 a 8　tazas de caldo de pollo sin grasa
1　libra de chícharos secos
　　sal y pimienta al gusto

En una olla grande, caliente el aceite a fuego medio. Añada las zanahorias, el apio, las cebollas y la hoja de laurel y saltee durante 5 minutos. Añada el caldo y los chícharos. Deje que hierva a fuego alto. Reduzca la temperatura y cocine a fuego lento hasta que los chícharos estén suaves, aproximadamente una hora. Bata ⅔ de la sopa en la licuadora hasta que se haga puré y después viértala de nuevo en la olla. Condimente con sal y pimienta. Si la sopa está demasiado espesa, añada caldo y deje que hierva durante 20 segundos adicionales.

INFORMACIÓN DE NUTRICIÓN (en cada porción)
CALORÍAS 330; GRASA 3g; PROTEÍNA 27g; CARB. 48g; FIBRA 20g; CALCIO 81mg; HIERRO 6mg; VITAMINA A (RE) 242mcg; VITAMINA C 5mg; FOLATO 213mcg

NUTRITION TIP
Split peas are a good source of fiber that can help lower cholesterol.

CONSEJO DE NUTRICIÓN
Los chícharos son una buena fuente de fibra que puede ayudarle a bajar el nivel de colesterol.

PASTA & BEAN SOUP

1 ½	tablespoon olive oil
1	large onion, chopped
6	garlic cloves, chopped
1	(28-ounce) can diced tomatoes
2	(14 ½-ounce) cans chicken broth
	salt and pepper to taste
1	cup cooked whole wheat elbow macaroni
1	(16-ounce) can white kidney beans, rinsed and drained, or 2 cups cooked white kidney beans*
	cilantro, chopped to taste
	cheese, grated to taste

Sauté the onions and garlic in olive oil for a few minutes over medium heat. Add the tomatoes, chicken broth, salt, and pepper. Cook on low for 20 minutes. Add the cooked macaroni, beans, and cilantro. Heat through. Sprinkle with grated cheese and serve hot with crusty whole wheat bread, pita, or crackers.

* See page 76 for how to cook dry beans.

NUTRITIONAL INFORMATION (per serving)
CALORIES 216; FAT 8g; PROTEIN 11g; CARB. 27g; FIBER 4g; CALCIUM 205mg; IRON 2.4mg; VITAMIN A (RE) 194mcg; VITAMIN C 30mg; FOLATE 45mcg

NUTRITION TIP
Vegetable broth can be substituted in any recipe that calls for chicken or beef broth. If you are using bouillon cubes or powder, limit the sodium content by using only half as much as called for on the label and adding your own herbs and spices.

CONSEJO DE NUTRICIÓN
El caldo de verduras puede usarse como sustituto en las recetas que contengan caldo de pollo o de res. Si usa caldo, en cubos o polvo, limite el contenido de sodio usando sólo la mitad de lo que indique la etiqueta y añadiendo sus propias hierbas y especias.

SOPA DE PASTA Y FRIJOLES

1 ½	cucharadas de aceite de oliva
1	cebolla grande picada
6	dientes de ajo picados
1	lata (28 onzas) de tomates en cubitos
2	latas (14 ½ onzas) de caldo de pollo
	sal y pimienta al gusto
1	taza de pasta de coditos de trigo integral, cocido
1	lata (16 onzas) de frijoles blancos, escurridos y enjuagados, o 2 tazas de frijoles blancos*
	cilantro, picado al gusto
	queso, rallado al gusto

Saltee las cebollas y el ajo en aceite de oliva durante varios minutos a fuego medio. Añada los tomates, el caldo de pollo, la sal y la pimienta. Cocine a fuego lento durante 20 minutos. Añada los coditos cocidos, los frijoles y el cilantro. Caliéntelo bien. Esparza queso rallado por encima y sirva caliente con pan de trigo integral crujiente, pita o galletas saladas.

* Vea la página 76 para saber cómo cocinar los frijoles secos.

INFORMACIÓN DE NUTRICIÓN (en cada porción)
CALORÍAS 216; GRASA 8g; PROTEÍNA 11g; CARB. 27g; FIBRA 4g; CALCIO 205mg; HIERRO 2.4mg; VITAMINA A (RE) 194mcg; VITAMINA C 30mg; FOLATO 45mcg

LENTILS PRIMAVERA

7 cups water
2 cups dry lentils
½ teaspoon oil
1 large tomato, chopped
1 tablespoon onions, chopped
1 chicken or vegetable bouillon cube
1 tablespoon cilantro, chopped
salt to taste

In a large pot, add lentils to the water. Cook according to package directions. Heat oil in a medium saucepan over medium heat. Sauté the onions and tomatoes until tender. Add the tomato mixture and bouillon cube to the lentils. Let the mixture boil for 15 minutes. Mix in cilantro. Serve immediately over brown rice or with whole wheat bread.

NUTRITIONAL INFORMATION (per serving)
CALORIES 342; FAT 1.6g PROTEIN 28g; CARB. 57g; FIBER 30g; CALCIUM 40mg; IRON 9mg; VITAMIN A (RE) 44mcg; VITAMIN C 12mg; FOLATE 424mcg

LENTEJAS PRIMAVERA

7 tazas de agua
2 tazas de lentejas secas
½ cucharadita de aceite
1 tomate grande picado
1 cucharada de cebolla picada
1 cubo de caldo de pollo o de verduras
1 cucharadita de cilantro picado
sal al gusto

En una olla grande, añada las lentejas al agua. Cocínelas de acuerdo con las instrucciones del paquete. Caliente el aceite en una cacerola mediana a fuego medio. Saltee las cebollas y los tomates hasta que estén suaves. Añada la mezcla del tomate y el cubo de caldo a las lentejas. Deje que la mezcla hierva durante 15 minutos. Añada el cilantro y mezcle. Sirva de inmediato sobre arroz integral o con pan de trigo integral.

INFORMACIÓN DE NUTRICIÓN (en cada porción)
CALORÍAS 342; GRASA 1.6g; PROTEÍNA 28g; CARB. 57g; FIBRA 30g; CALCIO 40mg; HIERRO 9mg; VITAMINA A (RE) 44mcg; VITAMINA C 12mg; FOLATO 424mcg

NUTRITION TIP
Lentils are a good source of iron. Eating lentils with foods rich in vitamin C, such as tomatoes, green peppers, and broccoli helps the body absorb iron more easily.

CONSEJO DE NUTRICIÓN
Las lentejas son una buena fuente de hierro. Comer lentejas con alimentos ricos en vitamina C, tales como los tomates, los pimientos morrones y el brócoli ayuda a que el organismo absorba el hierro con más facilidad.

SOYMILK & TOFU

Soy foods such as soymilk and tofu, are rich in vitamins and minerals including calcium, folate, potassium and, in some cases, fiber. Soy foods may reduce risk of chronic diseases including heart diseases, osteoporosis, certain cancers, and may help reduce menopausal symptoms in some women.

LECHE DE SOYA Y TOFU

Los alimentos de soya tales como la leche de soya y el tofu, son ricos en vitaminas y minerales que incluyen el calcio, folato, potasio y en algunos casos, fibra. Los alimentos de soya pueden reducir el riesgo de padecer enfermedades crónicas como las enfermedades cardíacas, osteoporosis, ciertos cánceres y pueden ayudar a reducir los síntomas de la menopausia en algunas mujeres.

TOFU DIP

1   (14-16 ounce) package silken tofu, rinsed
    and drained
1   (1-ounce) packet ranch dressing
    seasoning mix

In a blender, combine tofu and seasoning mix.
Purée until smooth. Refrigerate overnight to
allow flavors to blend.

NUTRITIONAL INFORMATION (per serving)
CALORIES 51; FAT 3g; PROTEIN 5g; CARB. 1.4g; FIBER 0g;
CALCIUM 232mg; IRON 4mg; VITAMIN A (RE) 5mcg; VITAMIN
C 0mg; FOLATE 10mcg

NUTRITION TIP
Tofu absorbs the flavor of whatever foods you cook
it with, so you can add it to chili, sauces, dips and
stews, in place of, or alongside beef, chicken, or fish.

CONSEJO DE NUTRICIÓN
El tofu absorbe el sabor de cualquier alimento con el
que lo cocine, así que puede añadirlo a chilis, salsas,
dips y guisados, en lugar de añadir carne de res,
pollo o pescado, o como complemento de éstos.

DIP DE TOFU

1   paquete (14 a 16 onzas) de tofu de seda
    (*silken*), enjuagado y escurrido
1   paquete (1 onza) de mezcla de
    condimentos para aderezo ranchero

En la licuadora, mezcle el tofu y el paquete
de condimentos. Licúe hasta obtener una
consistencia homogénea. Refrigere toda la
noche para que los sabores se mezclen.

INFORMACIÓN DE NUTRICIÓN (en cada porción)
CALORÍAS 51; GRASA 3g; PROTEÍNA 5g; CARB. 1.4g; FIBRA
0g; CALCIO 232mg; HIERRO 4mg; VITAMINA A (RE) 5mcg;
VITAMINA C 0mg; FOLATO 10mcg

FIESTA SCRAMBLER

2   (14-16 ounce) packages firm tofu
1   tablespoon oil
3   green onions, chopped
3   large garlic cloves, minced
¼   cup green bell pepper, chopped
¼   cup red bell pepper, chopped
2   tablespoons soy sauce
¾   cup salsa
1   tablespoon lime juice
¼   cup cilantro, chopped

Drain and rinse tofu well and pat dry. Grate tofu into a medium bowl and discard any excess liquid. Set aside. Heat oil in a medium skillet over medium-high heat. Add green onions, garlic, and bell peppers. Sauté until crisp tender. Add grated tofu and continue to cook for 5 minutes, stirring frequently. Stir in soy sauce, salsa, lime juice, and cilantro. Lower the heat and simmer 5 minutes or until ready to serve. Serve with warm whole wheat or corn tortillas.

NUTRITIONAL INFORMATION (per serving)
CALORIES 183; FAT 10g; PROTEIN 17g; CARB. 9g; FIBER 2.5g; CALCIUM 700mg; IRON 3mg; VITAMIN A (RE) 41mcg; VITAMIN C 22mg; FOLATE 34mcg

FIESTA REVUELTA

2   paquetes (14 a 16 onzas) de tofu firme
1   cucharada de aceite
3   cebolletas picadas
3   dientes grandes de ajo picados
¼   taza de pimiento morrón verde picado
¼   taza de pimiento morrón rojo picado
2   cucharadas de salsa de soya
¾   taza de salsa
1   cucharada de jugo de lima
¼   taza de cilantro picado

Escurra y enjuague bien el tofu y seque con una toalla de papel. Ralle el tofu en un tazón mediano y deseche el líquido sobrante. Apártelo. Caliente el aceite en una sartén mediana a fuego medio alto. Añada las cebolletas, el ajo y los pimientos morrones. Saltee hasta que estén suaves y crujientes. Añada el tofu rallado y continúe cocinando durante 5 minutos, revolviendo con frecuencia. Añada la salsa de soya, la salsa, el jugo de lima y el cilantro, y mezcle. Baje la temperatura y cocine a fuego lento durante 5 minutos o hasta que esté listo para servirse. Sirva con tortillas calientes de maíz o trigo integral.

INFORMACIÓN DE NUTRICIÓN (en cada porción)
CALORÍAS 183; GRASA 10g; PROTEÍNA 17g; CARB. 9g; FIBRA 2.5g; CALCIO 700mg; HIERRO 3mg; VITAMINA A (RE) 41mcg; VITAMINA C 22mg; FOLATO 34mcg

NUTRITION TIP
Refrigerated, water-packed tofu always needs to be kept in the refrigerator and used by the expiration date. After opening water-packed tofu, rinse before cooking and change the water daily to keep it fresh. Use within 3 to 4 days.

CONSEJO DE NUTRICIÓN
El tofu refrigerado, empacado en agua, siempre necesita mantenerse en el refrigerador y debe usarse antes de la fecha de vencimiento. Después de abrir el tofu empacado en agua, enjuáguelo antes de cocinarlo y cambie el agua diariamente para conservarlo en buen estado. Úselo en 3 a 4 días.

BROCHETAS DE TOFU

2   tomates medianos picados
¼   taza de cebolla picada
2   dientes de ajo picados
¼   taza de jugo de limón
1   cucharadita de chile serrano, sin semillas y picado
¼   taza de cilantro picado
1   cucharadita de cúrcuma en polvo
1   cucharadita de comino en polvo
1   cucharadita de chile en polvo
    sal al gusto
1   paquete (14 a 16 onzas) de tofu extra firme, cortado en cubitos de 1 pulgada
16   tomates cherry
1   zanahoria, en rebanadas de ½ pulgada
1   pimiento morrón rojo, en rebanadas de 1 pulgada
1   pepino, en rebanadas de ½ pulgada
    palitos para brochetas

En la licuadora, bata los tomates, las cebollas, el ajo, el jugo de limón, el chile serrano y el cilantro. Vierta la mezcla en una olla grande. Añada la cúrcuma, el comino y el chile en polvo. Cocine a fuego medio durante 3 a 5 minutos. Condimente con sal al gusto. Añada el tofu. Reduzca la temperatura y cocine a fuego lento durante 5 minutos. En los palitos para brochetas, inserte alternadamente el tofu, los tomates, las zanahorias, los pimientos y pepinos. Sirva con arroz integral o el grano entero de su gusto.

INFORMACIÓN DE NUTRICIÓN (en cada porción)
CALORÍAS 218; GRASA 9 g; PROTEÍNA 18 g; CARB. 20 g; FIBRA 5 g; CALCIO 725 mg; HIERRO 4 mg; VITAMINA A (RE) 574 mcg; VITAMINA C 101 mg; FOLATO 49 mcg

TOFU KABOBS

2   medium tomatoes, chopped
¼   cup onion, chopped
2   cloves garlic, minced
¼   cup lemon juice
1   teaspoon serrano chili, seeded, and minced
¼   cup cilantro, minced
1   teaspoon tumeric powder
1   teaspoon cumin powder
1   teaspoon chili powder
    salt to taste
1   (14-16 ounce) package extra firm tofu, cubed into 1-inch pieces
16   cherry tomatoes
1   carrot, ½-inch sliced pieces
1   red bell pepper, 1-inch sliced pieces
1   cucumber, ½-inch sliced pieces
    skewers

In a blender, purée tomatoes, onions, garlic, lemon juice, serrano chili, and cilantro. Pour mixture into a large saucepan. Add tumeric, cumin, and chili powder. Cook over medium heat for 3-5 minutes. Season with salt to taste. Add tofu. Lower heat and simmer for 5 minutes. Using the skewers, assemble the kabobs, alternating with tofu, cherry tomatoes, carrots, red bell peppers, and cucumber. Serve with brown rice or whole grain of your choice.

NUTRITIONAL INFORMATION (per serving)
CALORIES 218; FAT 9g; PROTEIN 18g; CARB. 20g; FIBER 5g; CALCIUM 725mg; IRON 4mg; VITAMIN A (RE) 574mcg; VITAMIN C 101mg; FOLATE 49mcg

NUTRITION TIP
Kabobs are a great way to get your family to eat vegetables and fruits. Try making kabobs with your kids using their favorite fruits.

CONSEJO DE NUTRICIÓN
Las brochetas son una manera fácil y práctica para lograr que su familia coma verduras y frutas. Prepare brochetas con sus hijos usando sus frutas favoritas.

PINEAPPLE SMOOTHIE

1   (14-16 ounce) package silken tofu
1   medium banana
1   (12-ounce) can frozen pineapple juice
    concentrate
1   (8-ounce) can crushed pineapple, chilled

Purée all ingredients in a blender until
smooth. Serve immediately.

NUTRITIONAL INFORMATION (per serving)
CALORIES 299; FAT 5g; PROTEIN 10g; CARB. 58g; FIBER
1.5g; CALCIUM 403mg; IRON 6mg; VITAMIN A (RE) 10mcg;
VITAMIN C 90mg; FOLATE 21mcg

NUTRITION TIP
Tofu, also known as a soybean curd, is a soft,
cheese-like food that is made by curdling fresh hot
soymilk. It is a good source of protein, B-vitamins,
and iron. Tofu can also be an excellent source of
calcium when it is made with calcium sulfate.

CONSEJO DE NUTRICIÓN
El tofu, también conocido como cuajada de la leche
de soya, es un alimento suave, parecido al queso,
que se hace cuajando leche de soya caliente. Es
una buena fuente de proteína, vitaminas B y hierro.
El tofu también puede ser una excelente fuente de
calcio cuando se hace con sulfato de calcio.

BATIDO DE PIÑA

1   paquetes (14 a 16 onzas) de tofu de seda
    (*silken*)
1   plátano mediano
1   lata (12 onzas) de jugo concentrado de
    piña, congelado
1   lata (8 onzas) de piña triturada,
    refrigerada

Bata todos los ingredientes en la licuadora
hasta que estén homogéneos. Sirva de
inmediato.

INFORMACIÓN DE NUTRICIÓN (en cada porción)
CALORÍAS 299; GRASA 5g; PROTEÍNA 10g; CARB. 58g; FIBRA
1.5g; CALCIO 403mg; HIERRO 6mg; VITAMINA A (RE) 10mcg;
VITAMINA C 90mg; FOLATO 21mcg

TROPICAL FRUIT PUDDING

1 (15-ounce) can tropical fruit salad in natural juice
1 (14-16 ounce) package soft or silken tofu, drained
½ teaspoon coconut extract
1 (5.1-ounce) package banana instant pudding

Drain fruit, save the juice, and set fruit aside. Blend tofu, fruit juice, and coconut extract in blender for 2 minutes until smooth. Add pudding mix and blend for a few seconds more. Add tropical fruit and pulse until fruit is in small pieces. Spoon in small cups and put in refrigerator for 10 minutes to chill and set.

NUTRITIONAL INFORMATION (per serving)
CALORIES 174; FAT 4g; PROTEIN 6g; CARB. 32g; FIBER 0.8g; CALCIUM 256mg; IRON 4mg; VITAMIN A (RE) 5.4mcg; VITAMIN C 18mg; FOLATE 10mcg

PUDÍN DE FRUTAS TROPICALES

1 lata (15 onzas) de ensalada de frutas tropicales en su jugo natural
1 paquetes (14 a 16 onzas) de tofu de seda (*silken*) o blando, escurrido
½ cucharadita de extracto de coco
1 paquete (5.1 onzas) de pudín instantáneo de plátano

Escurra las frutas, conserve el jugo y aparte las frutas. Bata el tofu, el jugo de frutas y el extracto de coco en la licuadora durante 2 minutos hasta que no tenga grumos. Añada la mezcla del pudín y licúe unos cuantos segundos más. Añada las frutas y bata por unos segundos hasta que las frutas estén en pedazos pequeños. Coloque en copas pequeñas y refrigere durante 10 minutos para que se enfríe y se cuaje.

INFORMACIÓN DE NUTRICIÓN (en cada porción)
CALORÍAS 174; GRASA 4g; PROTEÍNA 6g; CARB. 32g; FIBRA 0.8g; CALCIO 256mg; HIERRO 4mg; VITAMINA A (RE) 5.4mcg; VITAMINA C 18mg; FOLATO 10mcg

NUTRITION TIP
With its soft consistency and mild taste, tofu is a perfect food for the entire family. Try using soft or silken tofu in place of mayonnaise or sour cream in salad dressings or dips. You will be pleasantly surprised!

CONSEJO DE NUTRICIÓN
Con su consistencia y sabor suave, el tofu es el alimento perfecto para la familia entera. Pruebe usando tofu blando o de seda en lugar de mayonesa o crema agria en los aderezos de ensalada o los dips. Le sorprenderá.

INDEX

ÍNDICE

Designed in the U.S.A. Printed in Korea.